JN106068

はじめに

　これからの時代は、創造力や発想力を発揮できる子どもが生き残れる時代になることは間違いありません。実は就学前の子どもには、ものすごい創造力や発想力が備わっています。しかし、小学校に入学した途端、「知識の入力作業」に追われるようになり、「創造力や発想力を発揮するという出力作業」の機会が奪われてしまうのです。

　できることなら6歳までに、遅くとも10歳までに「右脳」を徹底的に鍛えたいものです。そうすることにより、創造力や発想力が高まるだけでなく、お子さんにとって学習効率を上げるために不可欠な集中力も高まります。

　かつて、私は関西の大手中学進学塾の生徒を集めて右脳テストを行なったことがあります。その結果、成績上位の生徒は明らかに右脳テストの得点も高いことが判明したのです。さらに特筆すべきは、成績上位の生徒は右脳を駆使して問題を解くことにより、解答時間もそれ以外の生徒よりも明らかに短かったのです。

　そして、問題を解いた後の彼らは、自らの感想として、「普段やっているような、文字や数字を介した問題を解くことはあまり面白くないけれど、今日の右脳テストは楽しみながら集中して問題を解くことができた」と語ってくれました。

　未就学児をお持ちのご両親はもちろん、小学生のお子さんがいるご両親は、本書に収録されている問題を毎日1問、1年かけて解く習慣を身につけさせてあげてください。それだけで右脳が活性化して、創造力や発想力の豊かなお子さんに育つだけでなく、集中力も高まり、スポーツや芸術といった、より幅広い分野でも素晴らしい活躍を見せてくれるお子さんに育つことでしょう。

2020年1月　　　　　　　　　　　　　　　　児玉光雄

毎日楽しみながら右脳を鍛えて、
集中力を高めましょう！

● 「イメージする」機能をつかさどる右脳

　脳は左右で機能の分担があり、「左脳」は言語機能や論理的思考、分析的処理をする役割を担っています。一方「右脳」は、図形処理や空間認識など、イメージして理解することが得意で、発想力や想像力を活性化させます。さらに、スポーツや芸術などの感性を要する分野においても、右脳は大きな役割を果たしているのです。

　現代の子どもたちは左脳偏重の傾向があります。しかし、本書のドリルを解くだけで右脳を鍛えることができ、左右の脳のバランスが整います。左右の脳は脳梁（のうりょう）を通じて影響を与え合っているので、新しい刺激を受けて脳全体も活性化し、さまざまな潜在能力が発揮されます。

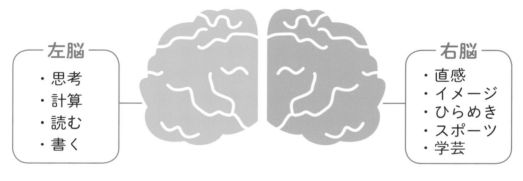

● 右脳の活性が集中力を引き出す

　集中力とは、脳の機能を集中状態にして、目の前の物事に取り組む力です。脳を集中状態にするために最も重要なのは、好奇心や目標意識を持つこと。そして、それらをさらに高めるには、「イメージする」ことが不可欠なのです。

　このイメージ化の作業こそが、集中力を高める要素であり、右脳の得意分野なのです。本書の右脳ドリルを楽しみながら解くことで、イメージ力を働かせる習慣ができ、高い集中力とその持続力が身について、何事においても高いパフォーマンスを発揮する子どもに育ちます。

● さあ、親子で一緒に取り組みましょう！

　右脳の力に年齢は関係ありません。「ひらめき脳」とも呼ばれる右脳は、とっさの判断が得意です。そのため、視覚的に判断してすばやく答えを出す力を必要とする本書の問題には、大人より子どものほうが早く解けるものもあります。

　お子さんと一緒に、ぜひご両親も一緒に問題に取り組んでみてください。考え込みすぎず、カンの鋭さに頼って答えを出すトレーニングを積むことで、大人も直感力を高めることができます。かたくなった頭もやわらかくなること間違いありません。

　また、分からないときに、簡単にあきらめて答えを見ずに、1分間は問題を解くことに集中してください。その習慣が、必ず右脳を活性化します。

本書の使い方
より効果的に右脳を鍛えるために

● 問題は366日分あります。できれば毎日、1問1分以内を目標に取り組みましょう。時計やストップウォッチを用意して時間をはかると、より集中力は高まります。

● 問題が解けたら、保護者の方が答え合わせをしてあげてください。

● 一度に数日分を解いてもかまいません。その場合は、1問ずつ答え合わせをするのではなく、できれば解いた分をまとめて答え合わせをするとよいでしょう。

● ひと通りできたという人は、1回目よりも目標時間を短く設定して、2回目にチャレンジしてみましょう（鉛筆を使うことで、答えを消しながら繰り返し使えます）。

● 本書の問題は、主に幼児から小学校低学年を対象としていますが、右脳のレベルに年齢はあまり関係ありません。親子で一緒に楽しめる問題になっていて、大人の集中力も鍛えることができます。中には大人のほうが、解くのに時間がかかる問題があるかもしれません。

● 問題は日数が進むにつれてだんだんと難度が高い問題が増えています。1日目から順に取り組むのがおすすめですが、子どもによって発育や得意・不得意な問題は異なりますので、できそうな問題から取り組んでもよいでしょう。年齢によってはまだ理解できない問題があるかもしれません。その場合は無理せず子どもが楽しめる問題のみ選んでもかまいません。

● 折り紙やマッチぼうなどを使う問題や展開図の問題は、分からなければ問題のページをコピーしたり実物を使ったりして、実際に確かめてみましょう。

● あまり時間をかけず、直感に頼って答えることも大切です。瞬間的なひらめきやカンの鋭さ、全体を瞬時に把握する力こそが右脳を強化します。

● サイコロを使う問題は、サイコロの目の並び方はすべて同じです。また、サイコロは向かい合う面の数を足すと必ず7になります。

解き終わったら、解答のページをめくって答え合わせをします。

「こたえ」の選択肢の番号や数字を記入します。中にはこたえの欄がなく、選択肢同士を線で結ぶ問題や、図形を組み立てる問題もあります。

1日目から順に1問ずつ解きましょう。

記入した「こたえ」と照らし合わせて答え合わせをします。

解答の補足がある問題は、参照ページも参考にしてください。

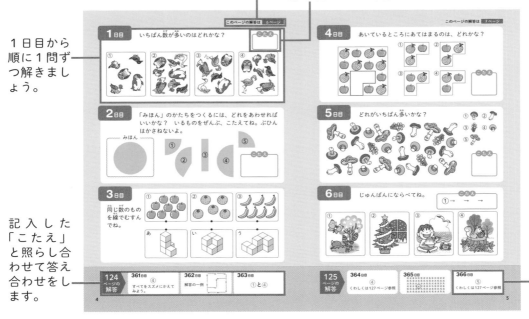

1日目　いちばん数（かず）が多（おお）いのはどれかな？

こたえ

①

②

③

④

2日目

「みほん」のかたちをつくるには、どれをあわせればいいかな？　いるものをぜんぶ、こたえてね。ぶひんはかさねないよ。

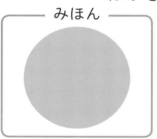
みほん

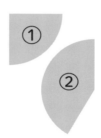
①②

③

④⑤

こたえ

3日目

同（おな）じ数（かず）のものを線（せん）でむすんでね。

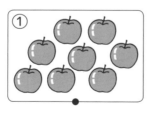
①

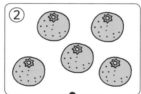
②

③

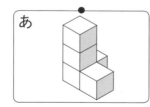
あ

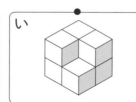
い

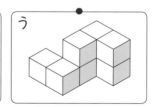
う

124ページの解答

361日目
④
すべてをスズメにかえてみよう。

362日目

解答の一例

363日目
①と④

4

4日目　あいているところにあてはまるのは、どれかな？

① 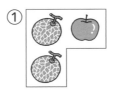　②

③ 　④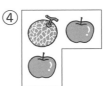

こたえ

5日目　どれがいちばん多いかな？

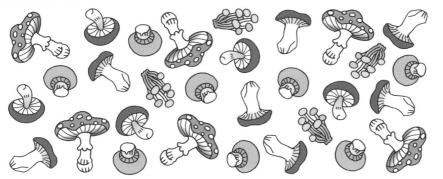

① 　②

③ 　④

⑤

こたえ

6日目　じゅんばんにならべてね。

こたえ

①→　　→　　→

125ページの解答

364日目
④
くわしくは127ページ参照

365日目

366日目
⑤
くわしくは127ページ参照

7日目

「みほん」をかがみにうつしたら、どんなふうに見えるかな？

みほん

① 　②

③ 　④

こたえ

8日目

どれがいちばん多いかな？

① 　②

③ 　④

⑤

こたえ

9日目

きゅうりを図のように切ったら、切り口はどんなかたちをしているかな？

① 　②

③ 　④

こたえ

1日目　②

2日目　①　④　⑤

3日目　①ーう　②ーあ
③ーい

10日目

同じ数のものを線でむすんでね。

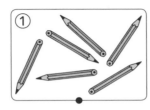  

  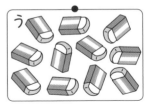

11日目

右の絵と左の絵をくらべてみよう。
1つだけちがうのは、どれかな？

こたえ

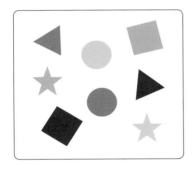 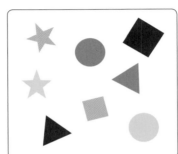

12日目

「みほん」をやじるしのほうから見たら、どんなふうに見えるかな？

みほん

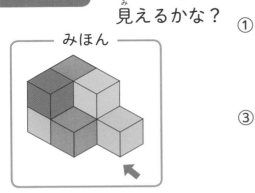

① ②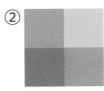

③ 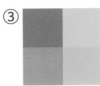 ④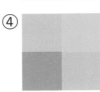

こたえ

5ページの解答

4日目　②

5日目　④

6日目　①→③→④→②

13日目 「みほん」と同じくみあわせのものは、どれかな？

みほん

① 　②

③ 　④

こたえ

14日目 おりがみを図のようにおって、——を切るよ。広げたら、どうなっているかな？

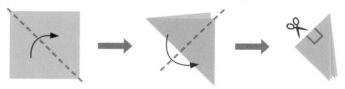

① 　② 　③ 　④

こたえ

15日目 同じ絵は、どれとどれかな？

こたえ
と

① 　② 　③ 　④

6 ページの 解答	7日目	8日目	9日目
	④	②	③

8

16日目　□ にあてはまる絵は、どれかな？

① 　②

③ 　④ 　

17日目

右の図を 2 つにわけるとき、うらがえすと同じかたちになるようにわけるには、どこでわければいいかな？
線をひいてね。

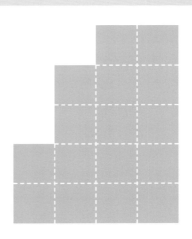

18日目　「みほん」と同じものは、どれかな？

みほん

① 　② 　③

④ 　⑤ 　

7ページの解答

10日目
①－い　②－う
③－あ

11日目
⑦
四角形の大きさがちがう。

12日目
③

19日目 1つだけ、数がちがうのはどれかな？

 ① ◎　② ●

 ③ ★　④ ●

 ⑤ ★　⑥ ☆

20日目 □にあてはまる絵は、どれかな？

① 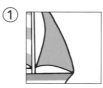　②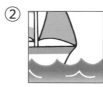

③ 　④

こたえ

21日目 1つだけ、ほかとちがうのはどれかな？

① 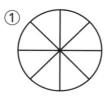　②

③ 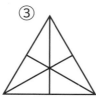　④

こたえ

8 ページの 解答

13日目	14日目	15日目　①と③
④	②	② ④
	実際にやってみよう。	

このページの解答は 13ページ

22日目 切ったらどうなるか、線でむすんでね。

①  ② 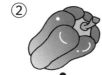 ③  ④   ⑤

あ  い  う   え   お

23日目 「ぶひん」とあわせると、四角になるのはどれかな？ ぶひんはうらがえさないよ。

こたえ

ぶひん

① ② ③ ④

24日目 「みほん」と同じものは、どれかな？

こたえ

みほん

① 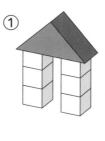 ② 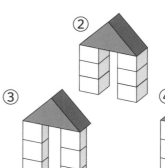 ③  ④

9ページの解答

16日目 ③

17日目

18日目 ⑤
① ② ③ ④

このページの解答は 14ページ

25日目

大きなおさらのくだものを2つにわけたとき、もう1つのおさらはどうなっているかな？

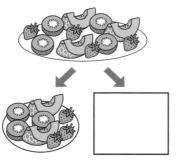

① 　②

③ 　④

こたえ

26日目

つみきの数が同じものは、どれとどれかな？

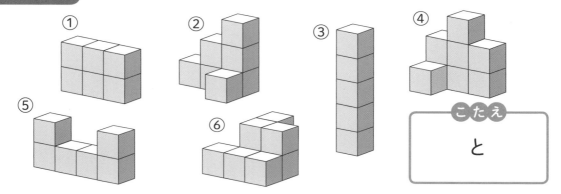

こたえ

と

27日目

くみたてると、「みほん」のようになるのはどれかな？

みほん
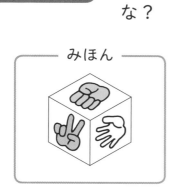

① 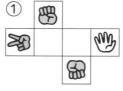　②

③ 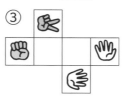　④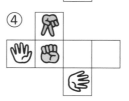

こたえ

10ページの解答

19日目	20日目	21日目
③	②	① 1つだけ曲線が入っている。

このページの解答は 15ページ

28日目

1つだけ、なかまではないのはどれかな？

①

②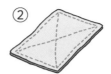

③

④

こたえ

29日目

どのひもをひっぱれば、ほねがとれるかな？
※ゆびやえんぴつをつかわずに、目だけでたどってね。

こたえ

① ② ③ ④

30日目

下の図のうち、3つをつかってかさねずに円をつくるよ。あまるのはどれかな？

①

②

③

④

こたえ

11ページの解答	22日目 ①－う ②－え ③－お ④－あ ⑤－い	23日目 ①	24日目 ④

13

31日目

かんけいの
ふかいもの
を線でむす
んでね。

32日目

□にあてはまるのは、どれかな？

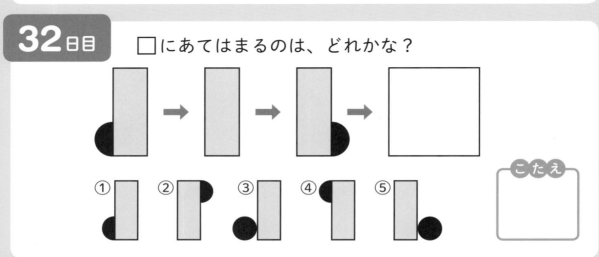

こたえ

33日目

いちばん広いのは、どれかな？

こたえ

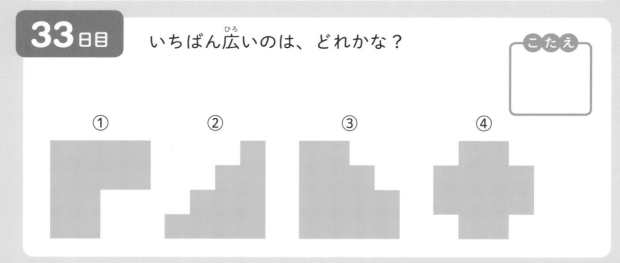

このページの解答は 17ページ

34日目

同じ数のもの
を線でむすん
でね。

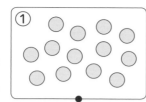
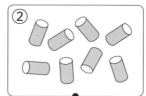
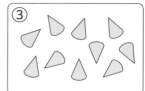

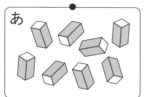

35日目

じゅんばんにならべてね。

こたえ

① → 　 → 　 →

36日目

「みほん」の絵とぴったりあうのは、どれかな？

みほん

こたえ

13 ページの 解答

28日目
④
①、②、③はそうじに
使う道具。

29日目
③

30日目
②

15

このページの解答は 18ページ

37日目 いちばん数(かず)が多(おお)いのはどれかな？

こたえ

38日目 どのわを切(き)っても、３つのわが バラバラになるのは、どれかな？

こたえ

① 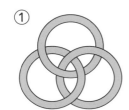 ② 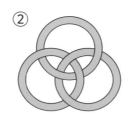 ③ 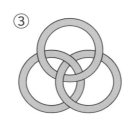 ④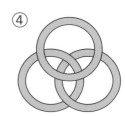

39日目

かんけいの
ふかいもの
を線(せん)でむす
んでね。

①  ②  ③ ④

あ  い う  え

14
ページの
解答

31日目
①−い　②−う
③−あ

32日目
⑤

33日目
③
ブロックに切り
わけてかんがえる。

このページの解答は 19ページ

40日目

「みほん」のつみきをつくるには、どれとどれをくみあわせたらいいかな？

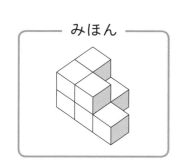
みほん

① 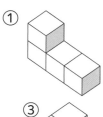　②

③ 　④

こたえ

と

41日目

じかんのけいかのじゅんになるように、とけいをならべてね。

 → ? → ? → ? → ? →

① 　② 　③ 　④

こたえ

42日目

おはじきが15こ、下のようにならんでいるよ。3こだけうごかして、三角形にできるかな？

15 ページの **解答**

34日目
①－う　②－あ
③－い

35日目
①→④→③→②

36日目 ②
① ③ ④

43日目 1つだけ、数がちがうのはどれかな？

こたえ

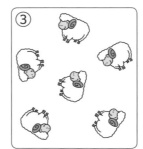
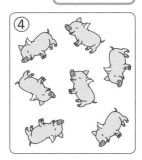

44日目

同じものを
線でむすん
でね。

45日目 2まいの絵のほしの数を同じにするには、右の絵にどのほしをたせばいいかな？

こたえ

16ページの解答	37日目	38日目	39日目
	④	②	①－あ　②－う ③－え　④－い

このページの解答は 21ページ

46日目

３本のマッチぼうでできた正三角形にマッチぼうを３本足して、正三角形を８つつくれるかな？

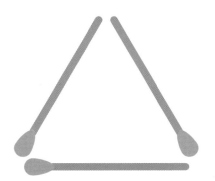

47日目

どのやさいとくだものがつながっているかな？

※ゆびやえんぴつをつかわずに、目だけでたどってね。

こたえ

① −

② −

③ −

48日目

１つしかないものは、何しゅるいあるかな？

こたえ

① １しゅるい
② ２しゅるい
③ ３しゅるい
④ ４しゅるい

17ページの解答

40日目

②と③

41日目

②→④→①→③

42日目

解答の一例

このページの解答は 22ページ

 49日目 1つだけ、数がちがうのはどれかな？

① ②
③ ④
⑤

こたえ

50日目 「みほん」のかたちをつくるのに、あまるのはどれかな？　ぶひんはかさねないよ。

みほん

① ② ③

④ ⑤

こたえ

51日目 同じくみあわせのものは、どれとどれかな？

こたえ
と

18ページの解答

43日目	44日目	45日目
③	①ーう　②ーあ ③ーい　④ーえ	②

20

このページの解答は 23ページ

52日目 紙をはんぶんにおって切って広げたとき、つくれないかたちはどれかな？

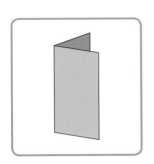

① 　② 　③

④ 　⑤

こたえ

53日目 □にあてはまるのは、どれかな？

こたえ

54日目 つみきの数が同じものは、どれとどれかな？

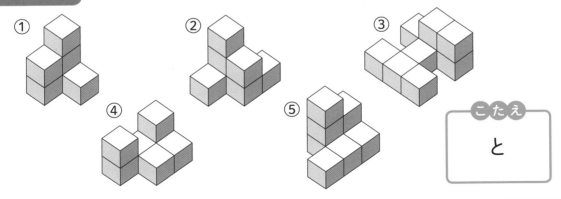

こたえ

と

19ページの解答

46日目

47日目
①ーう　②ーい
③ーあ

48日目 ②

21

55日目

1つだけ、ほか
とちがうのはど
れかな？

こたえ

56日目

左の絵にあって、右の絵にないのはどれかな？

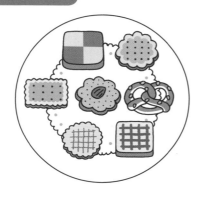 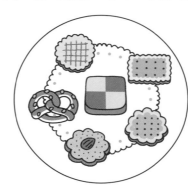

こたえ

57日目

4まいの絵を見
てね。いちばん
前にいるのはだ
れかな？

こたえ

20
ページの
解答

49日目

④

50日目

②

51日目

③と④

22

58日目

点線（てんせん）でおったとき、サイコロのかたちに
ならないのはどれかな？

こたえ

① 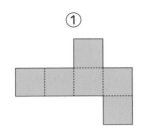　② 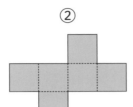　③ 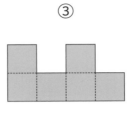　④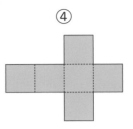

59日目

パズルをかんせいさせたとき、あまるのはどれかな？

こたえ

60日目

1つだけ、なかまではないのはどれかな？

① 　② 　③

④ 　⑤

こたえ

---

21 ページの **解答**

52日目	53日目	54日目
④	⑥	②と④

61日目

10まいのおはじきをつかって、4まいのれつを5れつ、つくれるかな？

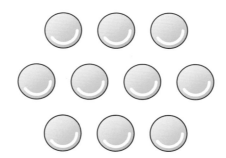

62日目

右の絵と左の絵には、ちがうところが5つあるよ。どこかな？　右の絵に○をつけてね。

63日目

かがみの前に、男の子が立っているよ。
男の子には、どんなふうに見えているかな？

こたえ

みほん

① ② ③ ④

22ページの解答

55日目
③
カレーのルーとごはんがほかと左右反対になっている。

56日目
①

57日目
①

24

このページの解答は **27ページ**

64日目

6つのぶひんをぜんぶつかって、できるかたちはどれかな？

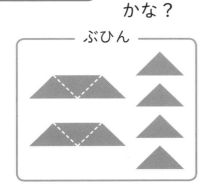

ぶひん

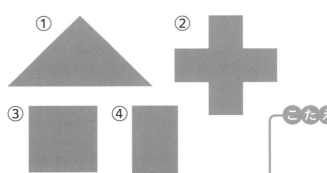

① ② ③ ④

こたえ

65日目

どれがいちばん多いかな？

① ② ③ ④ ⑤ ⑥

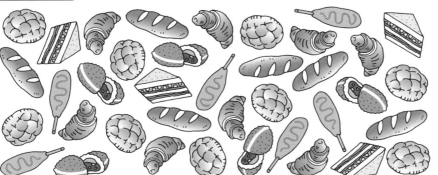

こたえ

66日目

□にあてはまるのは、どれかな？

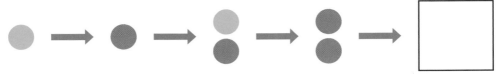

① ② ③ ④

こたえ

23 ページの 解答

58日目
③

59日目

③ ④
① ② ⑤

60日目
⑤
犬は哺乳類。ほかは昆虫類。

このページの解答は 28ページ

67日目

同じものを線
でむすんでね。

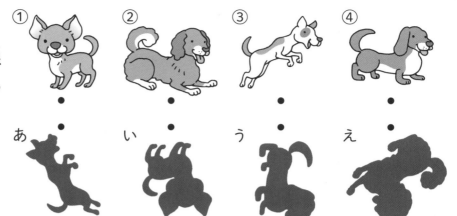

あ　　　　い　　　　う　　　　え

68日目

おりがみを図のようにおって、――を切るよ。広げた
ら、どうなっているかな？

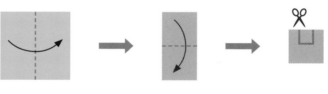

こたえ

① ② ③ ④

69日目

「みほん」と同じもようの紙が２まいか
さなっているよ。そのうち１まいを●の
ぶぶんでくるっとまわしてさかさにした
ら、どんなかたちができるかな？

こたえ

みほん 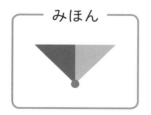 ① 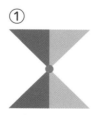 ② 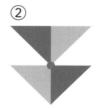 ③  ④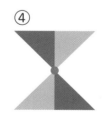

24ページの解答

61日目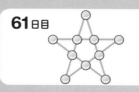

62日目

63日目 ②

26

70日目 いちばん数が多いのはどれかな？

こたえ

 ①  ② 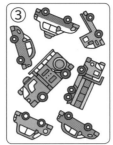 ③  ④  ⑤

71日目 「みほん」のかたちとぴったりあうのは、どれかな？

みほん

① ②
③ ④

こたえ

72日目

右の図のなかで、いちばん数が多いのはどれかな？　いちばん少ないのはどれかな？

※しるしはつけないで、目だけで数えてね。

① ■　② ★
③ ▲　④ ●

こたえ
いちばん多い

いちばん少ない

25ページの解答

64日目 ②

65日目 ②

66日目 ④
くわしくは126ページ参照

このページの解答は 30ページ

73日目

図のようにサイコロをころがすと、さいごはどの目が上になっているかな？

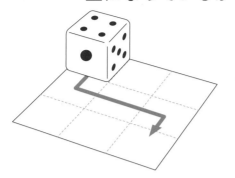

① ⚫
② ⚫⚫
③ ⚫⚫⚫
④ ⚫⚫⚫⚫

こたえ

74日目

同じくみあわせのものは、どれとどれかな？

こたえ
　と

 ①  ②  ③  ④  ⑤

75日目

「みほん」のかたちをつくるのに、あまるのはどれかな？　ぶひんはかさねないよ。

みほん

① ② ③ ⑤ ④

こたえ

26ページの解答

67日目
①−い　②−え
③−あ　④−う

68日目
②
実際にやってみよう。

69日目
④

28

このページの解答は 31ページ

76日目

右の図から、マッチぼうを2本うごかして、正方形を7つ、つくれるかな？

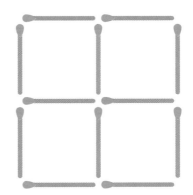

77日目

テーブルの上にのっているものは、男の子からはどんなふうに見えるかな？

こたえ

① 　②

③ 　④

78日目

1まいの紙に、同じ太さで、同じはばをあけて、9本の線がひかれているよ。ハサミをつかって、線を8本にできるかな？　紙をすてたりかさねたりしてはいけないよ。

27ページの解答

70日目
⑤

71日目 ①
② ③ ④

72日目
いちばん多い ②
いちばん少ない ①

29

79日目

図のように、サイコロを3つ、ならべたよ。サイコロどうしがくっついているめんと、いちばん右はしの見えていないめんの目の数を足すと、いくつになるかな？

①12　②13
③14　④15
⑤16

こたえ

80日目

パズルをかんせいさせたとき、あまるのはどれかな？

こたえ

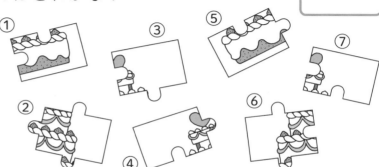

81日目

「みほん」のかたちを点線のところでまっすぐ切ったら、切り口はどんなかたちをしているかな？

こたえ

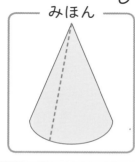

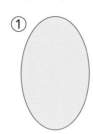

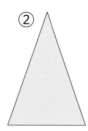

28ページの解答

73日目
③
実際にやってみよう。

74日目
③と④

75日目
④

82日目

下の図のなかに、三角形はぜんぶでなんこあるかな？

① 3こ
② 5こ
③ 8こ
④10こ
⑤15こ

こたえ

83日目

「みほん」をやじるしのほうから見たら、どんなふうに見えるかな？

こたえ

みほん

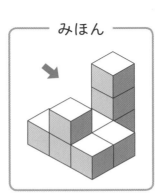

① 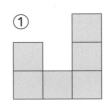　②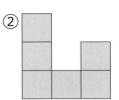

③ 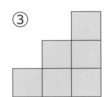　④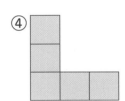

84日目

「みほん」と同じカップはなんこあるかな？

みほん

こたえ

こ

29ページの解答

76日目

77日目
④

78日目
ななめにまっすぐ切って、ずらして合わせる。
くわしくは126ページ参照

85日目

下の数字のなかで、7ばんめに小さい数字はどれかな？

こたえ

16　64　25　53　41
59　62　33　71　27
36　57　82　46　22
8　14

86日目

おりがみを図のようにおって、——を切るよ。広げたら、どうなっているかな？

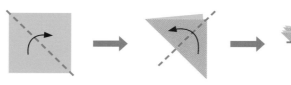

① 　② 　③ 　④

こたえ

87日目

いちばん広いのは、どれかな？

こたえ

① 　②　③　④

30ページの解答

79日目
④
くわしくは126ページ参照

80日目
③

81日目
②

32

このページの解答は 35ページ

88日目

同じひもをもっているのは、だれとだれかな？

※ゆびやえんぴつをつかわずに、目だけでたどってね。

こたえ

① −

② −

③ −

89日目

下のとけいをかがみにうつしたら、どんなふうに見えるかな？

こたえ

① 　②

③ 　④

90日目

□ にあてはまるものは、どれかな？

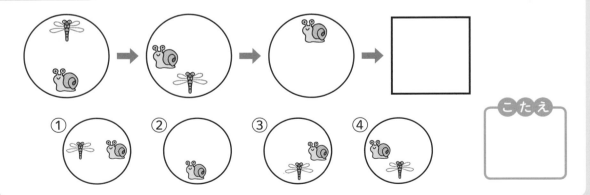

こたえ

31 ページの解答

82日目 ④
大きな三角形が5こ、小さな三角形が5こある。
5こ 5こ

83日目
②

84日目
8こ

33

91日目

ひものりょうはしを
ひっぱると、むすび
目はいくつできるか
な？

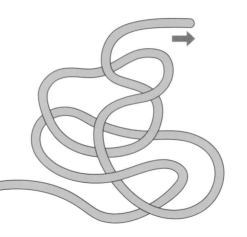

① 1つ
② 2つ
③ 3つ
④ できない

こたえ

92日目

1つだけ、ほかとちがうのはどれかな？

①

②

③

④

⑤

⑥

こたえ

93日目

2つの切れ目を入れたしんぶんをよこに
ひっぱると、いくつにわかれるかな？

こたえ

① 2つ
② 3つ
③ 4つ
④ やるたびにちがう
⑤ やぶれない

32ページの解答

85日目
33

86日目
①
実際にやってみよう。

87日目 ③
ブロックに
切りわけて
かんがえる。

94日目

「みほん」をやじるしのほうから見たら、どんなふうに見えるかな？

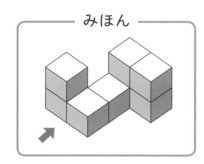

みほん

①

②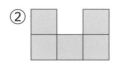

③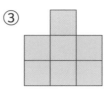

④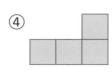

こたえ

95日目

1つだけちがうものがあるよ。○をつけてね。

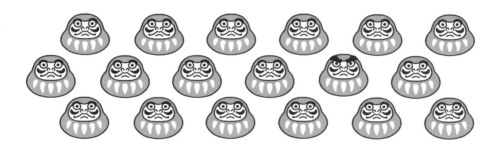

96日目

同じくみあわせのものは、どれとどれかな？

こたえ

と

①

②

③

④

⑤

⑥

33 ページの 解答

88日目
①-あ　②-う
③-い

89日目
④

90日目
③
くわしくは126ページ参照

35

97日目

3まいのおりがみをかさねて、4つの正方形（せいほうけい）をつくってね。

98日目

いちばんおもいものは、どれかな？

こたえ

99日目

四角形（しかくけい）はぜんぶでなんこあるかな？
※しるしはつけないで、目（め）だけで数（かぞ）えてね。

①18こ
②19こ
③20こ
④21こ

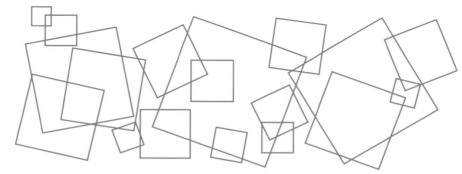

こたえ

34 ページの 解答	91日目	92日目	93日目　①
	①	⑤	実際の新聞でやってみよう。必ず2つにしかわかれない。
		⑤以外は左右対称。	

36

100 日目

とうめいな紙を2まいかさねて「みほん」のもようを
つくるには、どれとどれをかさねたらいいかな？

みほん

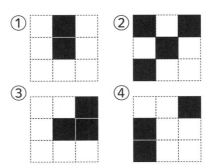

① ② ③ ④

こたえ

と

101 日目

□ にあてはまるのは、どれかな？

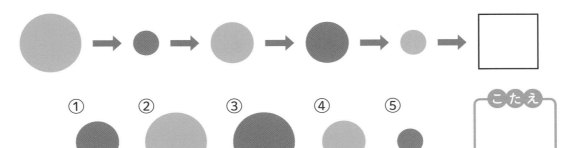

① ② ③ ④ ⑤

こたえ

102 日目

くみたてると、「みほん」のようになるのはどれかな？

みほん

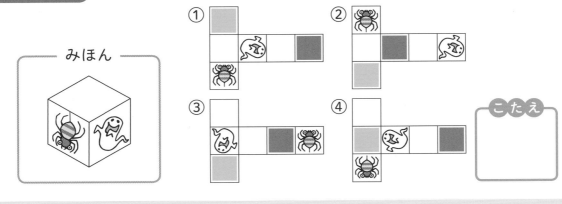

① ② ③ ④

こたえ

35
ページの
解答

94日目
①

95日目

96日目
①と④

このページの解答は 40ページ

103日目 「みほん」と同じくみあわせのものは、どれかな？

みほん
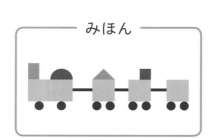

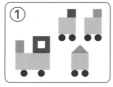
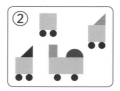
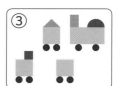
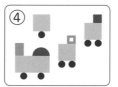
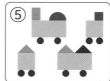

こたえ

104日目 じゅんばんにならべてね。

こたえ
④ →　　→　　→

105日目 「みほん」のかたちをつくるのに、あまるのはどれとどれかな？　ぶひんはかさねないよ。

みほん

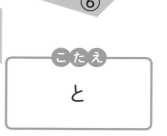

こたえ
と

36ページの解答

97日目

98日目
①

99日目
①

38

106日目

「みほん」のひまわりが地めんの水にうつ
ると、どんなふうに見えるかな？

こたえ

みほん

①  ②  ③  ④  ⑤

107日目

4しゅるいのどうぶつが
けんかしないように、点
線にそって線を引いて、
ぜんぶ同じ大きさとかた
ちの4つのへやにわけて
ね。

108日目

同じアクセサリー
のくみあわせのも
のは、どれとどれ
かな？

こたえ

と

37ページの解答

100日目
①と④

101日目 ③
色は、赤と黒が交互に、
大きさは、赤は小さく、
黒は大きくなっていく。

102日目
②

39

このページの解答は 42ページ

109日目 どれがいちばん少ないかな？

こたえ

110日目 「みほん」のはんこを、回しながらおしていくと、？のところではどんなふうになるかな？

こたえ

111日目 おりがみを図のようにおって、──を切るよ。広げたら、どうなっているかな？

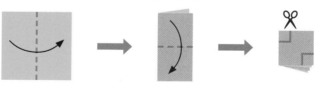

こたえ

38 ページの解答

103日目	104日目	105日目
③	④→①→③→②	②と⑥

このページの解答は 43ページ

112 日目

同じくみあわせ
のものは、どれ
とどれかな？

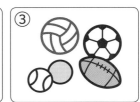
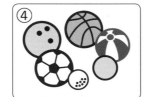

こたえ

と

113 日目

６つのわのうち、どれか
１つを切りはなすと、１
本のくさりになるよ。ど
れを切ったらいいかな？

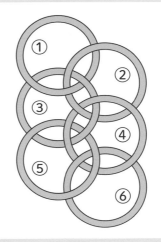

こたえ

114 日目

図のようにサイコロ
をころがしたら、さ
いごはどこが上にな
っているかな？

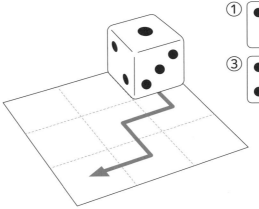

こたえ

---

39 ページの解答

106日目
④

107日目
解答の
一例

108日目
②と⑥

115 日目

ダンゴムシの右足(みぎあし)に黒色(くろいろ)、左足(ひだりあし)に赤色(あかいろ)のくつしたをはかせるには、どのくみあわせがいいかな?

こたえ

116 日目

男(おとこ)の子(こ)のばしょからしゃしんをとると、どんなふうにうつるかな?

こたえ

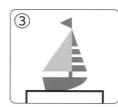

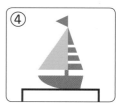

117 日目

「みほん」をくみたてると、どのようになるかな?

みほん

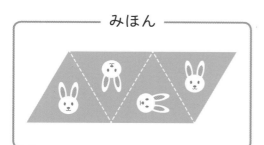

こたえ

40 ページの 解答	109日目	110日目	111日目
	②	①	③ 実際にやってみよう。

42

このページの解答は 45ページ

118日目

線は、なん本あるかな？
※しるしはつけないで、目だけで数えてね。

① 17本
② 18本
③ 19本
④ 20本
⑤ 21本

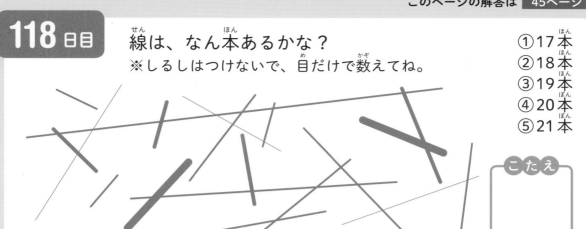

こたえ

119日目

パズルをかんせいさせたとき、あまるのはどれかな？

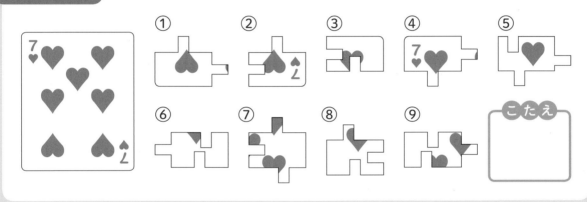

こたえ

120日目

１つしかないものは、何しゅるいあるかな？

① 1しゅるい
② 2しゅるい
③ 3しゅるい
④ 4しゅるい
⑤ 5しゅるい

こたえ

41ページの解答

112日目
②と⑤

113日目
②
上から①③⑤④⑥

114日目
②

43

このページの解答は 46ページ

121 日目

「みほん」のかたちを3つくみあわせて、
つくれないのはどれかな？

こたえ

みほん

① ② ③ ④

122 日目

「みほん」のパンを2つのおさらにわけた
よ。どれとどれかな？

こたえ
と

みほん

① 　② 　③

④ 　⑤ 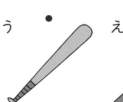　⑥

123 日目

① 　② 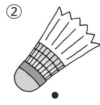　③ 　④

かんけいの
ふかいもの
を線でむす
んでね。

あ　い　う　え

42
ページの
解答

115日目
③

116日目
④

117日目
⑤

44

このページの解答は 47ページ

124日目 あいているところにあてはまるのは、どれかな？

① 　②

③ 　④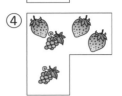

こたえ

125日目 ●をむすんで、「みほん」と同じかたちをかけるかな？

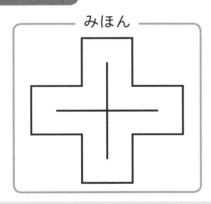

みほん

126日目 バッタは何ひきいるかな？

※しるしはつけないで、目だけで数えてね。

こたえ

① 6ぴき
② 7ひき
③ 8ひき
④ 9ひき
⑤ 10ぴき
⑥ 11ぴき

43ページの解答

118日目 ③

119日目

120日目 ⑤

45

127日目

右のサイコロをくみたてたとき、ウサギのはんたいがわにくるのはどれかな？

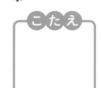

こたえ

128日目

あがいにかわるとしたら、うはえではどうなっているかな？

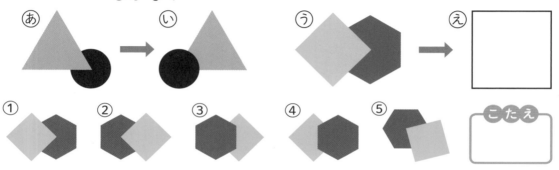

こたえ

129日目

同じ絵は、どれとどれかな？

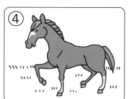

こたえ

と

44ページの解答

121日目 ①
②③④

122日目
④と⑥

123日目
①−う　②−え
③−あ　④−い

46

130日目

「みほん」のつみきをつくるには、どれとどれをくみあわせたらいいかな？

みほん

① 　②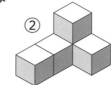

③ 　④

こたえ
　　と

131日目

同じものを線でむすんでね。

① 　② 　③ 　④ 　⑤

あ 　い 　う 　え 　お

132日目

マッチぼうを1本うごかして、けいさんが正しくなるようにするには、どれをうごかせばいいかな？

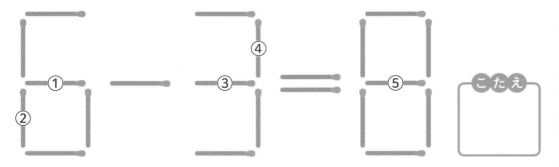

こたえ

133 日目 □にあてはまるのは、どれかな？

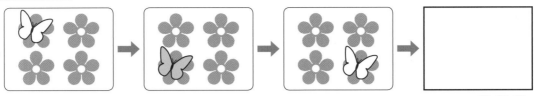

①  ② 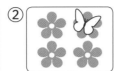 ③  ④

こたえ

134 日目 1本のひもを2つにおって、もういちど2つにおって、まんなかで切ると、ひもはぜんぶで何本になるかな？

① 3本
② 4本
③ 5本
④ 6本
⑤ 7本

こたえ

135 日目 とうめいな紙を2まいかさねて「みほん」のもようをつくるには、どれとどれをかさねたらいいかな？

みほん

① ②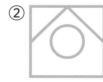

③  ④

こたえ

と

46ページの解答	127日目	128日目	129日目
	②	③ 右と左、前と後ろが入れ替わっている。	③と④

このページの解答は 51ページ

136日目

「みほん」のかたちを点線のところでまっすぐ切ったら、切り口はどんなかたちをしているかな？

こたえ

みほん

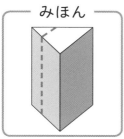

①  ② ③ ④

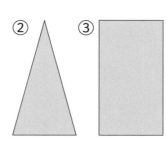

137日目

1つだけ、ほかとちがうのはどれかな？

①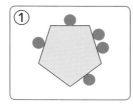

②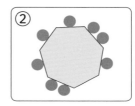

③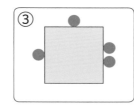

④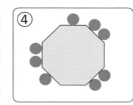

こたえ

138日目

どのパイプをとおれば、水そうにもどれるかな？
※ゆびやえんぴつをつかわずに、目だけでたどってね。

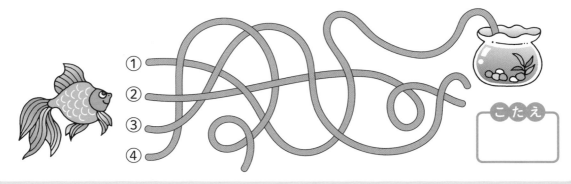

①
②
③
④

こたえ

---

47 ページの解答

130日目
①と③

131日目
①ーう
②ーお　③ーえ
④ーあ　⑤ーい

132日目 ②
$6 + 3 = 8$

139日目 同じものは、どれとどれかな？

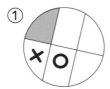 ① 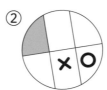 ② 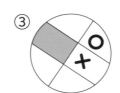 ③

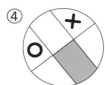 ④ 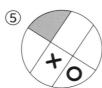 ⑤ 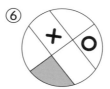 ⑥ 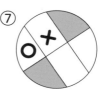 ⑦

140日目 図のような三角形をまわしながらころがしたら、赤いマスのところでは、どんなふうになっているかな？

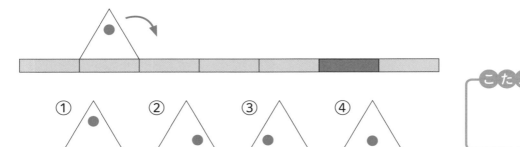

① ② ③ ④

こたえ

141日目 図のように、サイコロを3つ、ならべたよ。いちばん左はしと、サイコロどうしがくっついているめんと、いちばん右はしのめんの目の数を足すと、いくつになるかな？

① 18　② 19
③ 20　④ 21
⑤ 22　⑥ 23

こたえ

48ページの解答

133日目 ①
チョウは反時計回りに動きながら、白、ピンク、と変わっている。

134日目
③

135日目
①と④

このページの解答は 53ページ

142日目 ひとふででかけないのは、どれかな？

こたえ

① 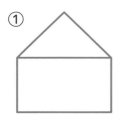 ② 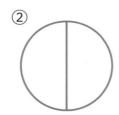 ③  ④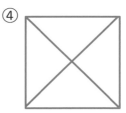

143日目

1つだけ、ほかと
ちがうのはどれか
な？

① 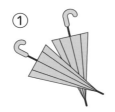 ②  ③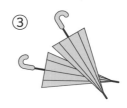

④ 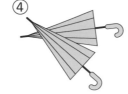 ⑤

こたえ

144日目 いちばん数が多いのはどれかな？

①  ②
③  ④
⑤  ⑥

こたえ

49
ページの
解答

136日目
①

137日目
②
②以外は角の数だけ●が
ある。

138日目
①

このページの解答は 54ページ

145 日目

右の絵と左の絵には、ちがうところが6つあるよ。
どこかな？　右の絵に○をつけてね。

146 日目

あいているところにあてはまるのは、どれかな？

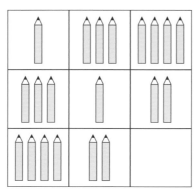

①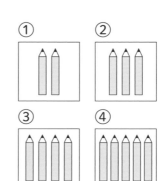
②

③
④

こたえ

147 日目

「みほん」と同じ
くみあわせのもの
は、どれかな？

みほん　ＥＳＵＡＷＢ

① ＦＵＡＷＢＳ　② ＷＢＥＳＵＡ

③ ＡＳＭＥＢＷ　④ ＥＰＳＵＷＢ

⑤ ＡＣＳＢＵＷ

こたえ

50
ページの
解答

139日目
②と⑤

140日目
②

141日目　④
サイコロの向かい合う面
を足すと必ず7になるの
で、7 × 3 = 21。

52

このページの解答は 55ページ

148 日目

サイコロの目がスタンプのように下の紙にうつるとしたら、やじるしのようにころがると、どんなもようがうつるかな？

こたえ

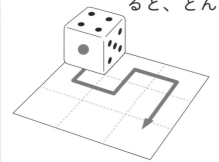

① 　② 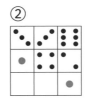　③ 　④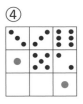

149 日目

10円玉を1まいだけうごかして、たても、よこも、4まいずつになるようにしてね。

150 日目

3本のマッチぼうの頭が下の紙にふれないようにしながら、それぞれがほかの2本にふれあうようにできるかな？

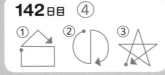

151 日目 同じ絵は、どれとどれかな?

① 　② 　③ 　④ 　⑤

152 日目

とうふを27こになる
ように切りわけるに
は、ほうちょうで何回
切ったらいいかな?

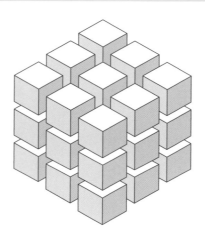

① 3 回　② 6 回
③ 8 回　④ 12 回
⑤ 27 回

こたえ

153 日目

同じくみあわせの
ものは、どれとど
れかな?

こたえ

と

① 　② 　③

④ 　⑤ 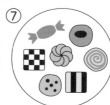　⑥ 　⑦

52
ページの
解答

145日目

146日目 ①
たて、よこともに、少な
いもの2つを足したら一
番多いものの数になる。

147日目

②

154 日目 1つだけ、なかまではないのはどれかな？

こたえ

155 日目 同じかたちの4まいの紙をつかって、十字をつくるには、どうならべたらいいかな？

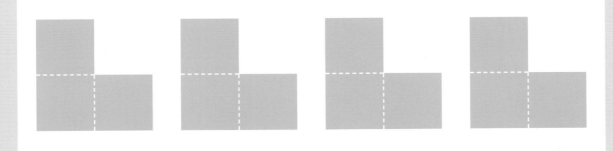

156 日目 「みほん」の下にかがみを置いたら、どんなふうにうつるかな？

みほん

こたえ

53 ページの 解答

148 日目

③

149 日目
右はしの
1枚をまん中に重ねる。

150 日目
解答の
一例

このページの解答は 58ページ

157日目

絵がかかれた2まいのとうめいな紙をかさねると、どんなふうに見えるかな？

こたえ

158日目

「みほん」をやじるしのほうから見たら、どんなふうに見えるかな？

みほん

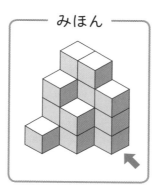

① ② ③

④ ⑤

こたえ

159日目

いちばんおもいとりと、いちばんかるいとりは、どれかな？

① ②

③ ④

こたえ
いちばんおもい

いちばんかるい

54ページの解答

151日目 ② と ⑤

152日目 ②

153日目 ② と ⑦

56

160日目

同じ数のもの
を線でむすん
でね。

  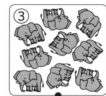 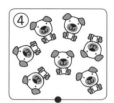

あ 　　い 　　う 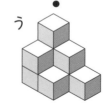　　え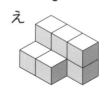

161日目

四角い紙を図のよ
うにおって、——
で切ると、紙は何
まいにわかれるか
な？

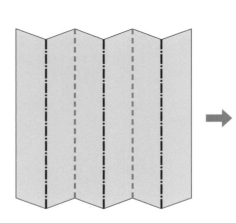

①4まい
②5まい
③6まい
④7まい
⑤8まい

こたえ

162日目　あいているところにあてはまるのは、どれかな？

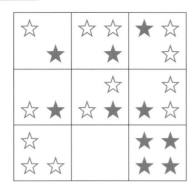

① 　② 　③

④ 　⑤

こたえ

55ページの解答

154日目
②
へびはは虫類。ほかは魚類。

155日目
解答の一例

156日目
④
①は「POST」、②はねこ、
③は「そくたつ」がちがう。

163日目

「みほん」をくみたてると、どのようになるかな？ 2つ、えらんでね。

こたえ

と

みほん

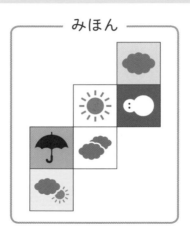

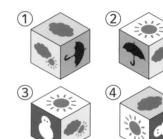

164日目

おどうぐばこのなかが、めちゃくちゃになったよ。なくなったのは、どれかな？

こたえ

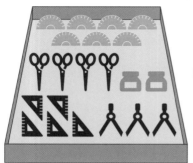 →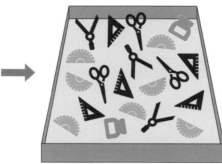

165日目

じゅんばんにならべてね。

こたえ

③ → 　 → 　 →

56ページの解答	157日目	158日目	159日目
	②	②	いちばんおもい ② いちばんかるい ④

58

166 日目

点線のところで切って２つにわけたものをくみあわせて、正方形をつくるには、どこで切ればいいかな？ 線を引いてね。

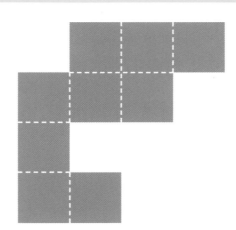

167 日目

かんけいのふかいものを線でむすんでね。

① 　② 　③ 　④

あ 　い 　う 　え

168 日目

12このすうじを３つにくぎって、それぞれのごうけいが同じになるようにするには、どこでわければいいかな？ 線を３本入れてね。

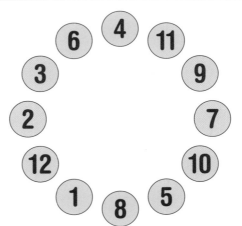

57
ページの
解答

160日目
①ーあ　②ーえ
③ーう　④ーい

161日目
④
実際にやってみよう。

162日目
②
くわしくは126ページ参照

このページの解答は 62ページ

169日目

じゅんばんにならべてね。

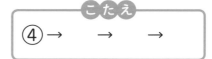

こたえ

④ →　　　→　　　→

170日目

「みほん」と同（おな）じものは、どれかな？

みほん

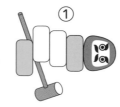

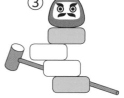
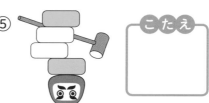

こたえ

171日目

「みほん」のかたちをつくるのに、あまるのはどれかな？　ぶひんはかさねないよ。

みほん

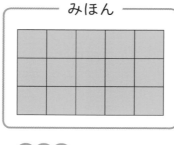

こたえ

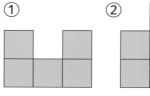
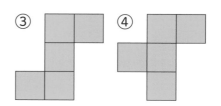

58
ページの
解答

163日目
④と⑤

164日目
①

165日目
③→④→①→②

60

172 日目

同じ数のものを線でむすんでね。

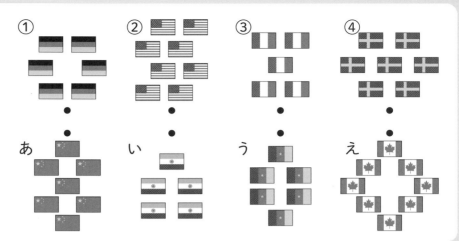

173 日目

あいているところに入るもののくみあわせは、どれかな？

こたえ

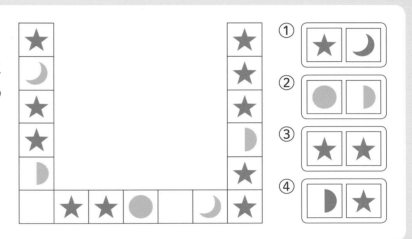

174 日目

マッチぼうが9本あると、3しゅるいの三角形がつくれるよ。マッチぼうを1本へらして8本にしたら、何しゅるいつくれるかな？

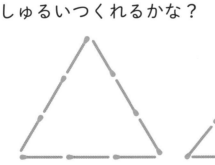

① 1しゅるい
② 2しゅるい
③ 3しゅるい
④つくれない

こたえ

59ページの解答

166日目
2通りある。

167日目
①－い　②－え
③－あ　④－う

168日目

このページの解答は 64ページ

175 日目

かがみのなかには、<ruby>女<rt>おんな</rt></ruby>の<ruby>子<rt>こ</rt></ruby>はどんなふうにうつっているかな？

① 　②

③ 　④

こたえ

176 日目

１つだけ、<ruby>数<rt>かず</rt></ruby>がちがうのはどれかな？

① ●　② ◆
③ □　④ ☆
⑤ ■　⑥ ★

こたえ

177 日目

くみたてると、「みほん」のようになるのはどれかな？

みほん

①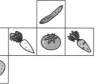

②

③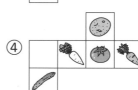

④

こたえ

60ページの解答

169日目
④→②→③→①

170日目
②

171日目
③

62

178日目

「みほん」のような切り口になるのは、どれを切ったときかな？

みほん

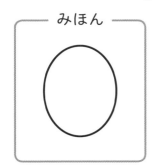

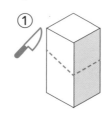
①
②
③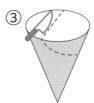
④

 こたえ

179日目

「みほん」が地めんの水にうつると、どんなふうに見えるかな？

みほん

①
②
③
④

 こたえ

180日目

おりがみを図のようにおって、――を切るよ。広げたら、どうなっているかな？

こたえ

 ➡ 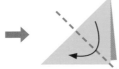 ➡ 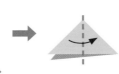 ➡ 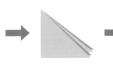 ➡

① 　② ③ ④ ⑤

61 ページの 解答

172日目
①－う　②－え
③－い　④－あ

173日目
③
くわしくは126ページ参照

174日目
①

181 日目 2ひきだけ、同じひつじがいるよ。○をつけてね。

182 日目

かんけいの
ふかいもの
を線でむす
んでね。

183 日目 □にあてはまるのは、どれかな？

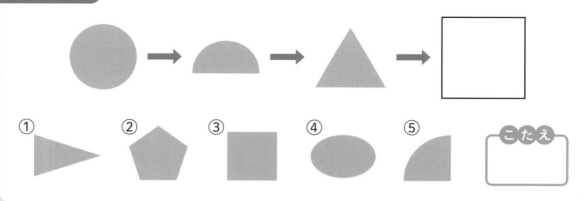

184日目 1つだけ、ほかとかたちがちがうものはどれかな？

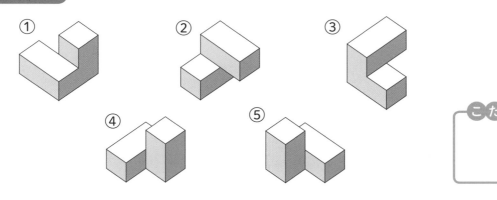

① ② ③ ④ ⑤

こたえ

185日目 1つしかないものは、何しゅるいあるかな？

① 1 しゅるい
② 2 しゅるい
③ 3 しゅるい
④ 4 しゅるい
⑤ない

こたえ

186日目 「みほん」のかたちをつくるには、どれをあわせればいいかな？　3つ、ひつようだよ。

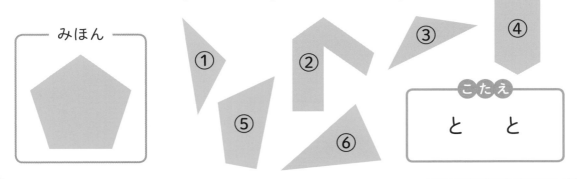

みほん

① ② ③ ④ ⑤ ⑥

こたえ

と　と

63ページの解答	178日目	179日目	180日目
	④	③	③ 実際にやってみよう。

このページの解答は 68ページ

187 日目

「みほん①」のようにならんでいる10円玉を、「みほん②」のようにならべかえるためには、何まい、うごかせばいいかな？　いちばん少ないほうほうをかんがえてね。

みほん①

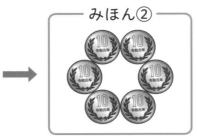

みほん②

① 1まい
② 2まい
③ 3まい
④ 4まい
⑤ 5まい

こたえ

188 日目

同じ絵は、どれとどれかな？

こたえ　　と

①

②

③

④

⑤

⑥

189 日目

どのひもをひっぱれば、えさをたべられるかな？
※ゆびやえんぴつをつかわずに、目だけでたどってね。

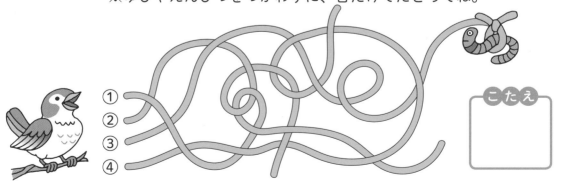

①
②
③
④

こたえ

---

64 ページの 解答

181日目

182日目

①−う　　②−え
③−あ　　④−い

183日目

③
線の数が1本ずつ増えている。

66

190 日目 いちばんかるいのは、どれかな？

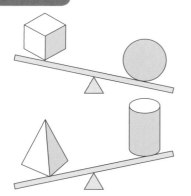 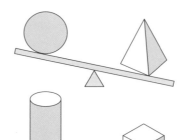

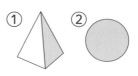 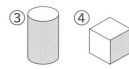

こたえ

191 日目 下の図のなかで、2つにわけてくみあわせたとき、正方形にならないのはどれかな？

こたえ

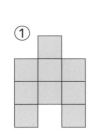 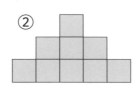 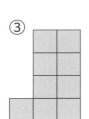 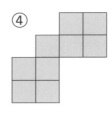 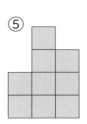

192 日目 「みほん」のなかにあるひょうしきだけがあつまっているのは、どれとどれかな？

みほん

こたえ

と

184日目 ④

185日目 ②

186日目

67

193 日目

かんけいの
ふかいもの
を線でむす
んでね。

194 日目

とうめいな紙を2まいかさねて「みほん」のもようをつくるには、もう1まいはどんなもようにすればいいかな？

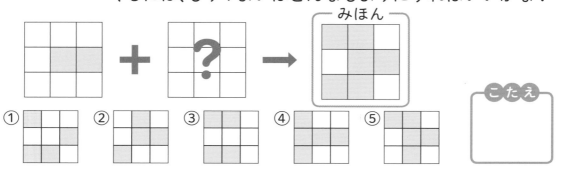

こたえ

195 日目

つみきの数がいちばん多いのは、どれかな？

こたえ

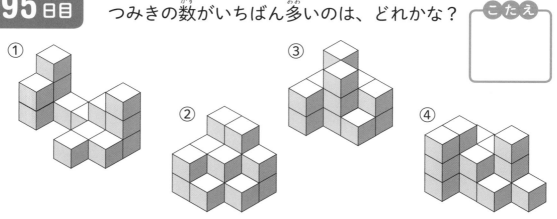

66ページの解答

187日目 ②
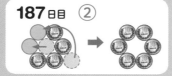

188日目 ②と⑤

189日目

③

68

このページの解答は **71ページ**

196 日目

図のようにサイコロをころがすと、さいごはどの目が下になっているかな？

こたえ

① 　② 　③

④ 　⑤ 　⑥

197 日目

「みほん」とあわせると、三角形になるのはどれかな？

こたえ

みほん

① 　③

②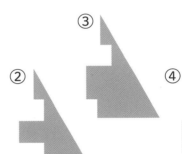

④

198 日目

ひとふででかけないのは、どれかな？

こたえ

① 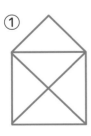　② 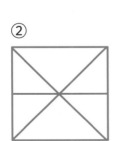　③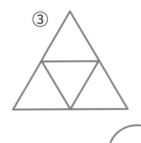

④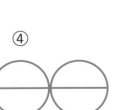

67 ページの解答

190日目
③

191日目
④
くわしくは126ページ参照

192日目
②と⑤

69

199日目

あなのあいたカードが３まいあるよ。カードのむきを
かえて、できるだけ多くのあながあくようにかさねる
と、あなはいくつあくかな？　カードはうらがえさな
いでね。

① 2つ
② 3つ
③ 4つ
④ 5つ
⑤ 6つ

こたえ

200日目

右の絵と左の絵には、ちがうところが１つだけあるよ。
どこかな？　右の絵に○をつけてね。

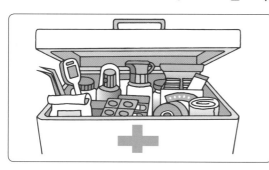 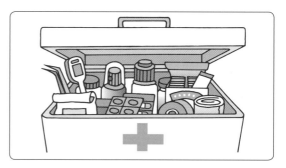

201日目

じゅんばんにならべてね。

こたえ

③ →　　→　　→

68
ページの
解答

193日目
①-い　②-あ
③-え　④-う

194日目
③

195日目
④

202 日目

同じくみあわせの
ものは、どれとど
れかな？

こたえ
　　と

203 日目

図のようにサイコロをならべたとき、となりのサイコロとくっついている6つの目をぜんぶたすと、いくつになるかな？

①18
②19
③20
④21
⑤22

こたえ

204 日目

下のパズルをかんせいさせたとき、あまるのはどれかな？

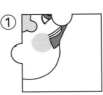 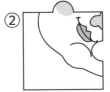 
 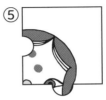

こたえ

69
ページの
解答

196日目
①
実際にやってみよう。

197日目
③

198日目 ②

71

205 日目 □ にあてはまるのは、どれかな？

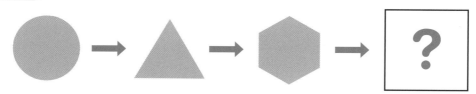

① 　② 　③ 　④ 　⑤ 　こたえ

206 日目 「みほん」のかたちをまっすぐに1回切ったとき、できない切り口はどれかな？

みほん
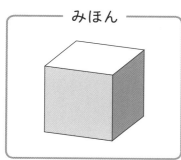

① 　② 　③

④ 　⑤ 　こたえ

207 日目

ひものりょうはしをひっぱると、むすび目はいくつできるかな？

①1つ　②2つ
③3つ　④4つ
⑤できない

こたえ

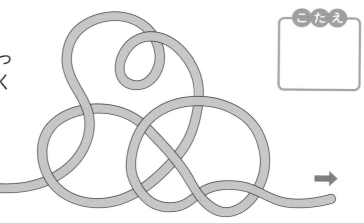

208日目　「みほん」をくみたてると、どのようになるかな？

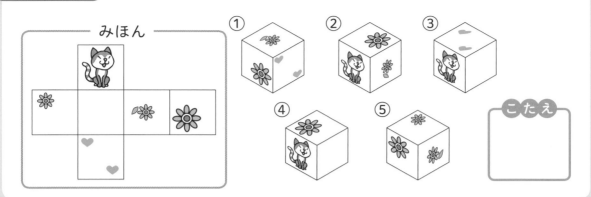

209日目　「みほん」の3つを回てんさせずにかさねると、どんなかたちになるかな？

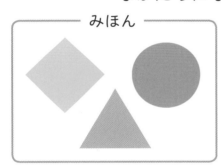

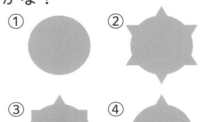

210日目　1つだけ、数がちがうのはどれかな？

| 71ページの解答 | 202日目 ②と④ | 203日目 ① くわしくは126ページ参照 | 204日目 ④ |

73

211 日目

右の絵は、左の絵よりもマークが1つだけ多くなっているよ。どこかな？　右の絵に○をつけてね。

212 日目

マッチぼうを1本だけうごかして、「2」をつくってね。

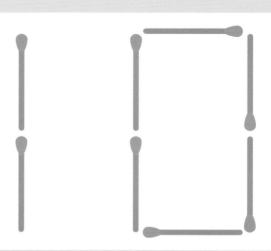

213 日目

下のパズルをバラバラにしたら、いらないぶひんがまざってしまったよ。どれかな？

こたえ

① 　② 　③

④ 　⑤　⑥

72 ページの解答

205日目
②
頂点が3つずつ増えている。

206日目 ④
① ② ③ ⑤
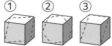

207日目
②

74

このページの解答は 77ページ

214 日目

1つだけ、ほかとちがうのはどれかな？ ○をつけてね。

215 日目

紙を4つにおって切って広げたとき、つくれないかたちはどれかな？

① ② ③

④ ⑤

こたえ

216 日目

○はぜんぶでなんこあるかな？
※しるしはつけないで、目だけでかぞえてね。

① 21こ
② 22こ
③ 23こ
④ 24こ
⑤ 25こ

こたえ

| 73 ページの 解答 | 208日目 ② | 209日目 ④ | 210日目 ① |

75

217 日目

「みほん」と、左右がはんたいになっているのはどれかな？

みほん

①

② ③

④

⑤

こたえ

218 日目

同じ三角形４つをつかって、正方形２つをつくるには、どうならべたらいいかな？

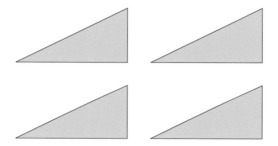

219 日目

手くびにかけたわゴムを、手くびからはずさずに、右のようにできるかな？

74 ページの 解答

211 日目

212 日目
10を横に寝かせるとよい。

213 日目
⑤

220日目

同じくみあわせ
のものは、どれ
とどれかな？

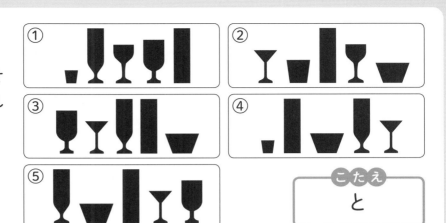

こたえ

と

221日目

おりがみを図のようにおって、──を切るよ。広げた
ら、どうなっているかな？

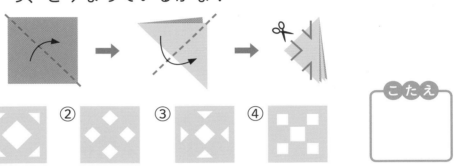

こたえ

222日目

「みほん」とおなじように魚がならんでいるのは、ど
のぶぶんかな？　4ひきをかこんでね。

みほん

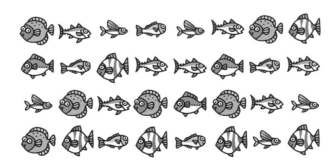

75ページの解答

214日目

215日目
①

216日目
②

223日目 パズルをかんせいさせたとき、あまるのはどれかな？

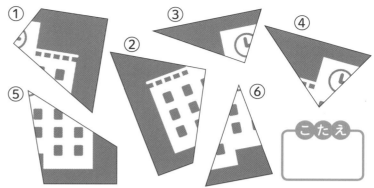

こたえ

224日目 下の数字のなかで、6ばんめに小さい数字はどれかな？　いちばん大きい数字はどれかな？

33　25　34　44　42　57　23

29　27　39　56　52　48

こたえ

6ばんめに小さい数字

いちばん大きい数字

225日目 下のとけいをかがみにうつしたら、どんなふうに見えるかな？

こたえ

76ページの解答

217日目 ②

218日目
外側と内側に大小２つの正方形ができる。

219日目
わゴムを２かいひねって、わに手くびを通す。

226日目

まっすぐにしかすすめないばあい、右のめいろを出るためには、何回まがればいいかな？ いちばん少ない回数をこたえてね。

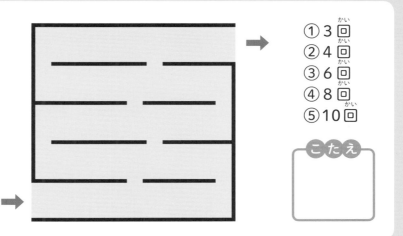

① 3回
② 4回
③ 6回
④ 8回
⑤10回

こたえ

227日目

右の絵と左の絵には、ちがうところが5つあるよ。どこかな？ 右の絵に○をつけてね。

228日目

どれがいちばん多いかな？

①  ②
③  ④
⑤

こたえ

77ページの解答

220日目
③と⑤

221日目
①
実際にやってみよう。

222日目

229 日目

じゅんばんにならべ
てね。

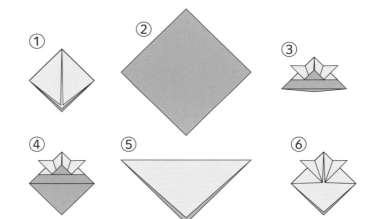

こたえ

② →　　→　　→

→　　→

230 日目

むこうがわにいる男の
子からは、こちらがわ
にいる女の子はどんな
ふうに見えるかな？

こたえ

231 日目

同じひもをもっているの
は、だれとだれかな？

※ゆびやえんぴつをつかわず
　に、目だけでたどってね。

こたえ

①－　　　②－
③－　　　④－

---

78 ページの解答

223日目
④

224日目
6 ばんめに小さい数字 34
いちばん大きい数字 57

225日目
③

aa

232 日目 どれがいちばん多いかな？

① ②
③ ④

こたえ

233 日目

サイコロの目がスタンプのように下の紙にうつるとしたら、やじるしのようにころがすと、どんなもようがうつるかな？

こたえ

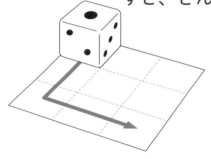

① ② ③ ④
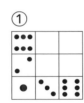 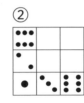 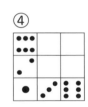

234 日目

同じもようは、どれとどれかな？

こたえ
と

① ② ③
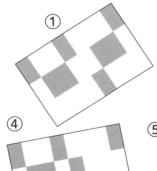  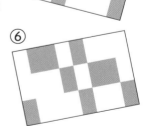

④ ⑤ ⑥

79ページの解答

226日目 ②

227日目

228日目 ⑤

81

このページの解答は 84ページ

235 日目 かんけいのふかいものを、線でむすんでね。

 ①  ②  ③  ④ ⑤

あ 　い 　う 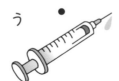　え 　お

236 日目 どれがいちばん多いかな?

①あ　②さ
③り　④ぬ
⑤ん　⑥は

こたえ

237 日目 「みほん」と、上下、左右がはんたいになっているのはどれかな?

みほん

① 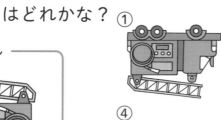　② 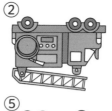　③

④ 　⑤

こたえ

80 ページの解答

229日目
②→⑤→①→
⑥→④→③

230日目
②

231日目
①-い　②-え
③-あ　④-う

82

238日目

同じ（おな）くみあわせの
ものは、どれとど
れかな？

こたえ

と

239日目

「みほん」のかたちをつくるのに、あまるのはどれか
な？　1つとはかぎらないよ。

みほん

① ② ③
④ ⑤ ⑥

こたえ

240日目

□にあてはまるのは、どれかな？

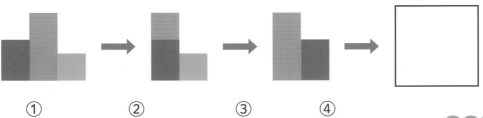

① ② ③ ④

こたえ

232日目	233日目	234日目
①	③	④と⑥

241日目

1つだけ、ほかと
ちがうのはどれか
な？

①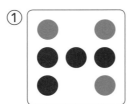
②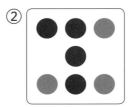
③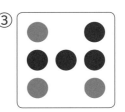
④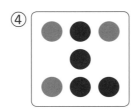
⑤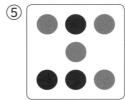

242日目

右の絵と左の絵には、ちがうところが5つあるよ。ど
こかな？　右の絵に○をつけてね。

243日目

「みほん」をやじるしのほうから見たら、どんなふうに
見えるかな？

みほん
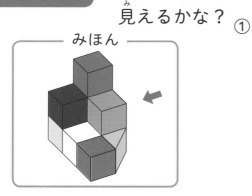

①
②
③
④

82
ページの
解答

235日目　①—う
②—あ　③—え
④—お　⑤—い

236日目
⑤

237日目 ④

84

244日目

■のぶぶんがいちばん大きいのは、どれかな？

こたえ

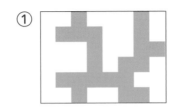 ①
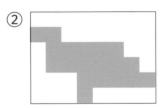 ②
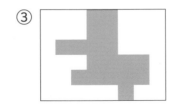 ③
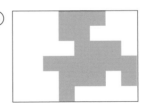 ④

245日目

下のようにサイコロをならべたとき、となりのサイコロとくっついている6つのめんの目の数を足すと、いくつになるかな？

① 20
② 21
③ 22
④ 23
⑤ 24

こたえ

246日目

どれがいちばん多いかな？

①
②
③
④
⑤

こたえ

83ページの解答

238日目 ②と④

239日目 ① ⑤

240日目 ④ 黒いブロックが、2つのブロックの前を左から右へと動いている。

85

247日目

「みほん」とあわせると、四角形(しかくけい)になるのはどれかな？　うらがえししてもいいよ。

こたえ

みほん

① 　② 　③ 　④

248日目

1まいの10円玉(えんだま)をすきまなくかこむには、「みほん」のように6まいの10円玉(えんだま)がひつようだよ。では、2まいの10円玉(えんだま)をかこむには、何(なん)まいあったらいいかな？

みほん

①6まい
②7まい
③8まい
④9まい
⑤10まい

こたえ

249日目

1つだけ、つみきの数(かず)がちがうのは、どれかな？

こたえ

①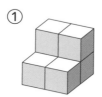
②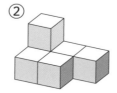
③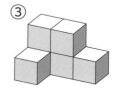
④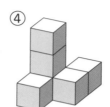
⑤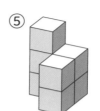
⑥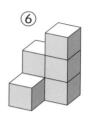

84ページの解答

241日目　⑤

242日目　

243日目　③

86

250日目 ひとふででかけないのは、どれかな？

こたえ

①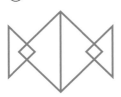

②

③

④

251日目 女の子と同じふくそうになるのは、どれかな？

こたえ

252日目 あいているところにあてはまるのは、どれかな？

みほん

①

③

②

④

こたえ

85ページの解答

244日目 ①
ブロックに切りわけてかんがえる。

245日目
③
くわしくは127ページ参照

246日目
④

253 日目

□ にあてはまる
のは、どれかな？

こたえ

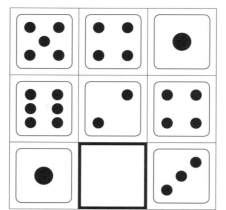

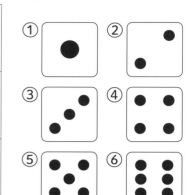

254 日目

1つだけ、なかまではないのはどれかな？

① ② ③ ④ ⑤

こたえ

255 日目

水そうのなかで、同じ
いきものどうしを線で
むすんでね。線がかさ
なってはいけないよ。

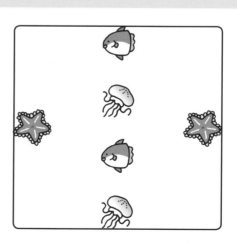

86
ページの
解答

247日目
②
うらがえすとぴったり
あう。

248日目 ③

249日目
⑤

88

256 日目

「みほん」のかたちをいろんなばしょで切ってみたよ。
切り口はどうなるかな？　線でむすんでね。

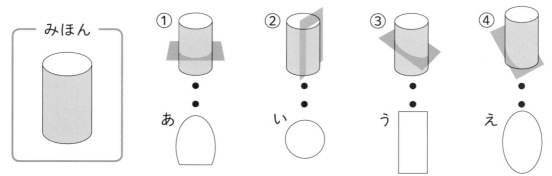

257 日目

おりがみを図のようにおって、——で切るよ。広げたら、「みほん」のようになっているのは、どのように切ったときかな？

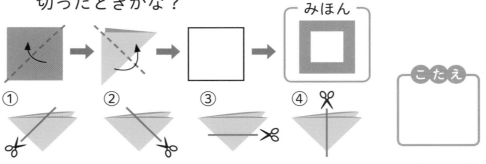

こたえ

258 日目

「みほん」の絵とぴったりあうのは、どれかな？

こたえ

このページの解答は 92ページ

259日目

「みほん」と同じもようの紙が2まいかさなっているよ。そのうち1まいを●のぶぶんでくるっとまわしてさかさにしたら、どんなかたちができるかな？

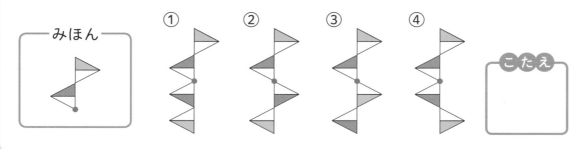

こたえ

260日目

線は、何本あるかな？
※しるしはつけないで、目だけでかぞえてね。

① 20本
② 21本
③ 22本
④ 23本
⑤ 24本

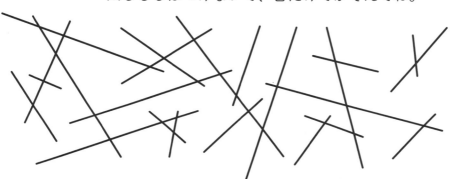

こたえ

261日目

どれがいちばん少ないかな？

①  ②
③ ④
⑤

こたえ

88ページの解答

253日目
②
くわしくは127ページ参照

254日目
④
にわとりは鳥類。ほかは哺乳類。

255日目

90

262 日目

かんけいの
ふかいもの
を線でむす
んでね。

263 日目

「みほん」のかげは、どれとどれがかさなってできているかな？

みほん

こたえ

と

264 日目

どのマッチぼうがいちばん上にあるかな？

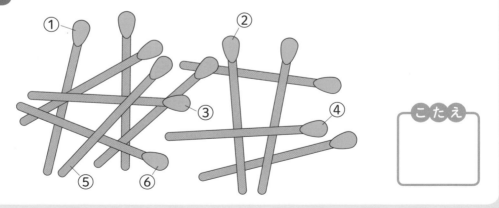

こたえ

89
ページの
解答

256日目
①ーい　②ーう
③ーえ　④ーあ

257日目
③
実際にやってみよう。

258日目　②

このページの解答は 94ページ

265日目

同じ絵は、どれと
どれかな？

こたえ

と

266日目

つみきの数がいち
ばん多いのは、ど
れかな？

こたえ

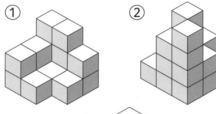
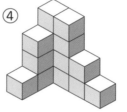
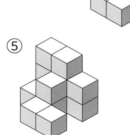

267日目

□ にあてはまるのは、どれかな？

①
②
③
④
⑤
⑥

こたえ

90
ページの
解答

259日目	260日目	261日目
②	④	①

92

268日目 じゅんばんにならべてね。

こたえ

④ →　　→　　→

269日目

図のような四角形をまわしながらころがしたら、赤いマスのところでは、どんなふうになっているかな？

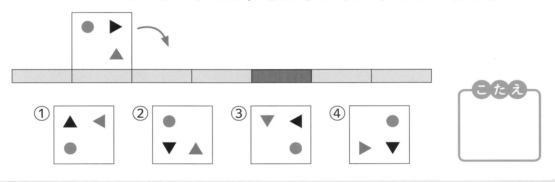

① ② ③ ④

こたえ

270日目

点線にそって線を引いて、同じ大きさとかたちになるように4つにわけてね。かならず、●と◆が1つずつ入るようにしてね。

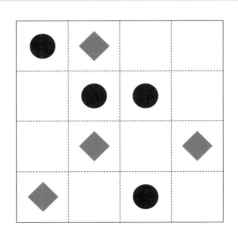

91ページの解答

262日目
①-い　②-う
③-あ　④-え
くわしくは127ページ参照

263日目
④と⑤

264日目
⑤

271日目　右の絵と左の絵で、ちがうところがあるのはどこかな？

① ② ③

④ ⑤ ⑥

こたえ

272日目　「みほん」のつみきをつくるには、どれとどれをくみあわせたらいいかな？

こたえ
と

みほん

① 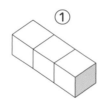　② 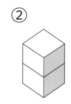　③ 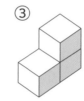　④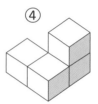

273日目　「みほん」の絵をかがみにうつしたら、どんなふうに見えるかな？

みほん

① 　②

③ 　④

こたえ

92ページの解答

265日目 ②と⑤
① ③ ④ ⑥

266日目
②

267日目 ④
その目に＋1、＋2、＋3…となり、6を超えるときは6を引いている。

274日目　下の図のなかに、三角形はぜんぶでいくつあるかな？

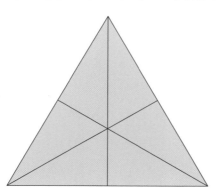

① 6
② 9
③ 12
④ 14
⑤ 16
⑥ 20

こたえ

275日目　「みほん」のようにかさなったトランプをそのまま水へいにひっくりかえすと、どんなふうに見えるかな？

みほん

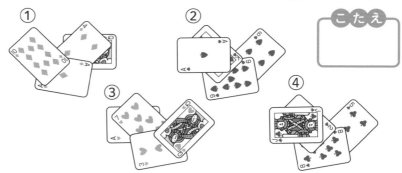

こたえ

276日目

同じ数のものを線でむすんでね。

①
②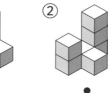
③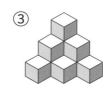
④

あ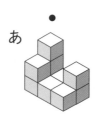
い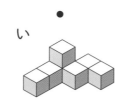
う
え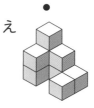

93ページの解答

268日目
④→②→①→③

269日目
①

270日目

このページの解答は 98ページ

277 日目 □にあてはまるのは、どれかな？

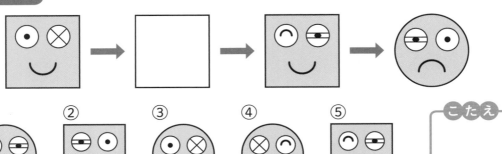

① ② ③ ④ ⑤

こたえ

278 日目 おりがみを図のようにおって、──で切るよ。広げたら、どうなっているかな？

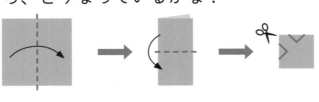

① ② ③ ④

こたえ

279 日目 「みほん」の絵をつくるのに、あまるのはどれかな？

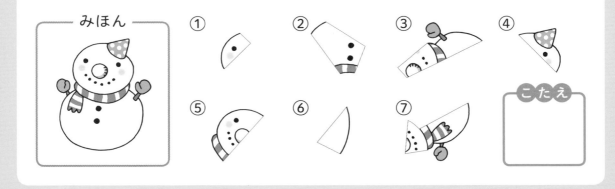

みほん

① ② ③ ④

⑤ ⑥ ⑦

こたえ

94 ページの 解答

271日目	272日目	273日目
 ③	②と④	②

96

280 日目

1円玉をうごかして、1円玉でできた三角形のむきをはんたいにしてね。いちばん少ないやりかたでできるのは、何まいかな？

① 1まい
② 2まい
③ 3まい
④ 4まい
⑤ 5まい

こたえ

281 日目

右の絵と左の絵には、ちがうところが5つあるよ。どこかな？　右の絵に○をつけてね。

282 日目

くみたてると、「みほん」のようになるのはどれかな？

みほん

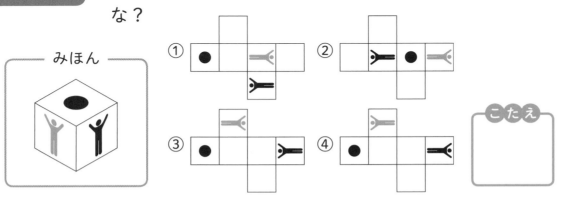

こたえ

95
ページの
解答

274日目 ⑤

1こ　6こ　3こ　6こ

275日目

③

276日目

①－う　②－え
③－あ　④－い

283 日目

右の四角のなかに、赤いぶぶんのようなかたちは、いくつ入るかな？赤いぶぶんはかさねないよ。いちばん多い数をこたえてね。

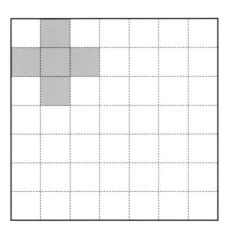

① 4つ
② 5つ
③ 6つ
④ 7つ
⑤ 8つ

こたえ

284 日目

同じ絵は、どれとどれかな？

こたえ

と

285 日目

それぞれのひもは、どことつながっているかな？

※ゆびやえんぴつをつかわず、目だけでたどってね。

こたえ

①−　　②−
③−　　④−

96ページの解答

277日目
④
くわしくは127ページ参照

278日目
①
実際にやってみよう。

279日目
⑤

286 日目

「みほん」のかたちをつくるには、
どれとどれをくみあわせたらいいかな？
むきをかえてもいいよ。

こたえ と

みほん

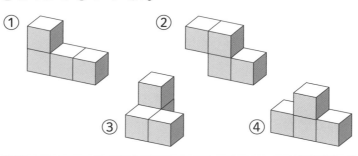
① ② ③ ④

287 日目

1つだけ、ほかとちがうのはどれかな？

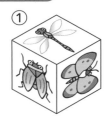
①

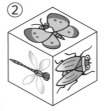
②

③

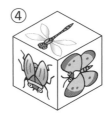
④

こたえ

288 日目

図のようにサイコロをころがすと、
さいごはどの目が下になっているかな？

こたえ

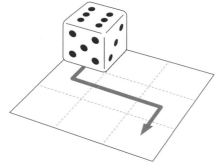

 ①
 ②
 ③
 ④
 ⑤
 ⑥

97
ページの
解答

280日目 ②

281日目

282日目
④

このページの解答は 102ページ

289日目

「みほん」のかたちをつくるのに、あまるのはどれかな？　ぶひんはかさねないよ。

みほん

① ② ③

④ ⑤

こたえ

290日目

紙の上においたマッチぼうを1本だけうごかして、ウマのむきをかえられるかな？　紙のむきはかえてもいいよ。

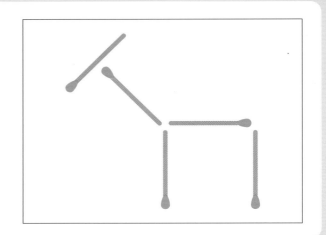

291日目

「みほん」のようにシーソーがかたむくとしたら、正しくかたむいているのはどれかな？

こたえ

みほん

① ② ③ ④

98
ページの
解答

283日目
③
解答の一例

284日目 ③と⑤
① ② ④ ⑥

285日目
①ーえ　②ーあ
③ーう　④ーい

100

このページの解答は 103ページ

292 日目

つみきの数がいち
ばん多いのはどれ
かな？

こたえ

①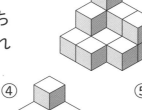
②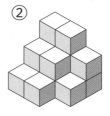
③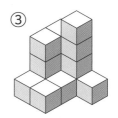
④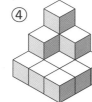
⑤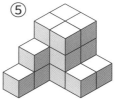
⑥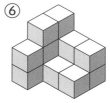

293 日目

みんなで、台の上のおもちゃを見ているよ。どの子から、どんなふうに見えているかな？

あ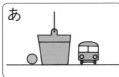
い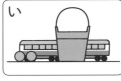
う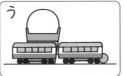
え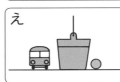

こたえ
① -
② -
③ -
④ -

294 日目

おりがみを下のようにおって、——で
切ったら、何まいにわかれるかな？

① 4まい
② 6まい
③ 8まい
④ 10まい
⑤ 12まい

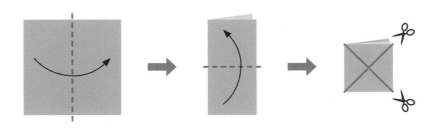

こたえ

99
ページの
解答

286日目 ① と ③

287日目
①

288日目
⑥

このページの解答は 104ページ

295日目

1つだけ、ほかとちがうのはどれかな？ ○をつけてね。

大 大 大 大 大 大 大 大 大
大 大 大 大 大 大 大 大 大
大 大 大 大 大 大 大 大 大
大 大 大 大 大 大 大 大 大

296日目

あいているところにあてはまるのは、どれかな？

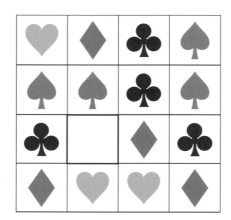

こたえ

297日目

10円玉、5円玉、1円玉が、かげになっているよ。いちばんきんがくが大きいのはどれかな？

こたえ

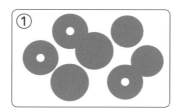

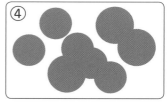

100ページの解答

289日目

290日目 くわしくは127ページ参照

291日目 ③

このページの解答は 105ページ

298日目

「みほん」のような六角形が、いくつかくれているかな？　大きさはちがってもいいよ。

みほん

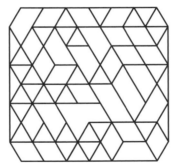

① 2つ
② 3つ
③ 4つ
④ 5つ
⑤ 6つ
⑥ 7つ

こたえ

299日目

同じかたち2つにわけられないのは、どれかな？　わけたかたちは、うらがえしてもいいよ。

こたえ

①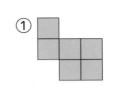
②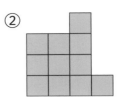
③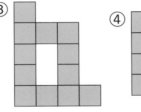
④
⑤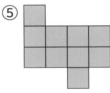

300日目

右のような水そうに、魚が8ひきいるよ。点線にそって線を引き、水そうを同じ広さとかたちにくぎって、魚を1ぴきずつにわけてね。

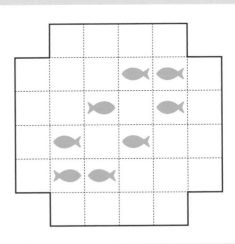

101
ページの
解答

292日目
⑤

293日目
①ーあ　②ーい
③ーう　④ーえ

294日目
⑤
実際にやってみよう。

103

301 日目

「みほん」をはんたいがわから見たら、どう見えるかな？

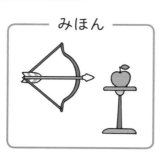

①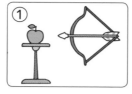

②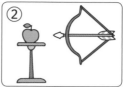

③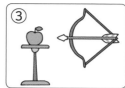

④

⑤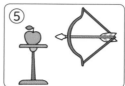

こたえ

302 日目

「あ」と「い」の
ばしょに入るのは、
どれかな？

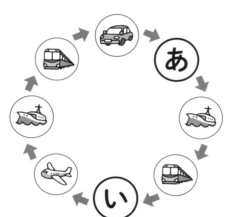

① 　②

③ 　④

⑤ 　⑥

こたえ

あ－

い－

303 日目

1つだけ、ほかとかたちがちがうのはどれかな？

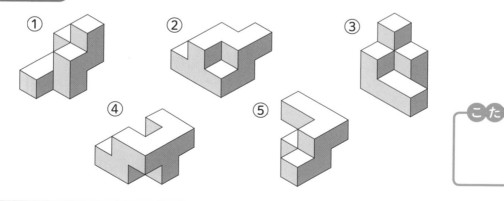

① ② ③ ④ ⑤

こたえ

102 ページの解答

295日目
★★★★★★★★★
★★★★★★★★★
★★（大）★★★★★★
★★★★★★★★★

296日目
①
くわしくは127ページ参照

297日目
①
①37円
②35円
③36円
④35円

104

304日目

「みほん」のような切り口になるには、どう切ったらいいかな？　こたえは1つとはかぎらないよ。

こたえ

みほん

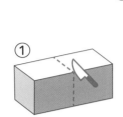
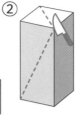

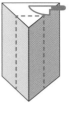

305日目

おりがみを下の図のようにおって、――で切るよ。広げたら、どうなっているかな？

こたえ

306日目

□にあてはまるのは、どれかな？

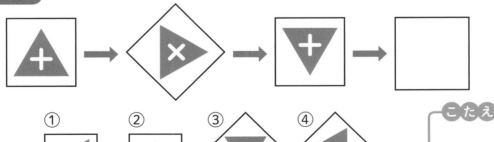

こたえ

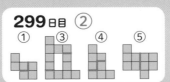

307日目

同じ絵は、どれと
どれかな？

こたえ

と

308日目

右のかたちを、3つの
同じかたちにわけられ
るかな？

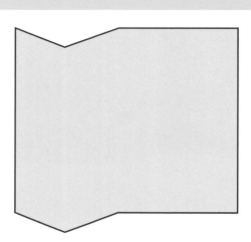

309日目

サイコロ4つを、くっつ
くめんが同じ目になるよ
うにかさねたとき、[?]に
入るのは、どれかな？

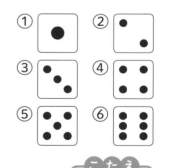

こたえ

104
ページの
解答

301日目
②

302日目
あ－② い－④
対角線上に同じものが入る。

303日目
④

106

310 日目 下のなかに、☆はいくつかくれているかな？

① 1つ
② 2つ
③ 3つ
④ 4つ
⑤ 5つ

こたえ

311 日目

やじるしのところで
クリップをもちあげ
ると、ぜんぶでいく
つ、つながっている
かな？

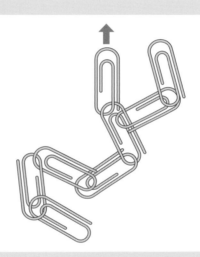

① 2つ
② 3つ
③ 4つ
④ 5つ
⑤ 6つ

こたえ

312 日目 「みほん」と同じウマは、どこにいるかな？

みほん

105 ページの解答

304日目
② ③

305日目
①
実際にやってみよう。

306日目
④
□と×は45度ずつ、△は
90度ずつ回転している。

このページの解答は 110ページ

313 日目 つみきの数がいちばん多いのは、どれかな？

こたえ

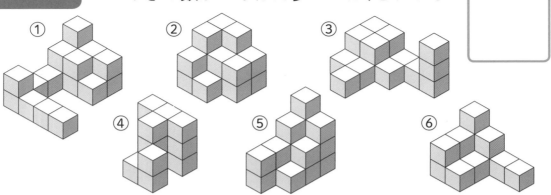

① ② ③ ④ ⑤ ⑥

314 日目

まるい紙を切ってならべて、正方形をつくれるかな？　切ったぶぶんはぜんぶつかわないといけないよ。

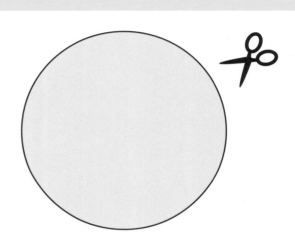

315 日目 サイコロの目がスタンプのように下の紙にうつるとしたら、やじるしのようにころがすと、どんなもようがうつるかな？

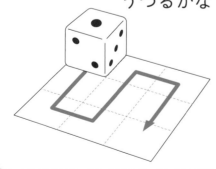

① ② 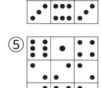 ③

④ ⑤

こたえ

---

106 ページの 解答

307日目 ③と⑤
①はたいこの数、②は鬼のツノ、④はバチ、⑥は雲がちがう。

308日目

309日目
⑥

このページの解答は 111ページ

316 日目

「みほん」のパンダと、白と黒が
はんたいになっているのはどれかな？

こたえ

みほん

① 　② 　③ 　④

317 日目

右の図に、たて、よこ、な
なめ、どれをとっても♥、
●、★、▲、◆の5しゅる
いがならぶように、あいて
いるマスに5しゅるいのマ
ークをうめてね。

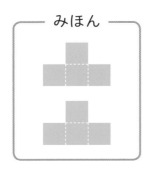

318 日目

「みほん」のかたち2つをつかって、
つくれないのはどれかな？

こたえ

みほん

① 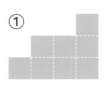　② 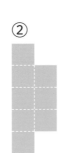　③ 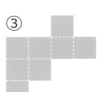　④

107
ページの
解答

310日目 ②

311日目 ③

312日目

109

このページの解答は 112ページ

319日目

下のつみきをつかって「みほん」のかたちをつくるのに、たりないつみきがあるよ。どれかな？　つかわないつみきもまざっているよ。

こたえ

みほん

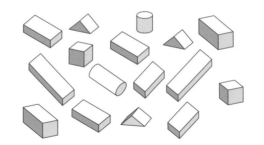

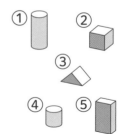

① ② ③ ④ ⑤

320日目

どれがいちばん多いかな？

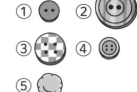

① ② ③ ④ ⑤

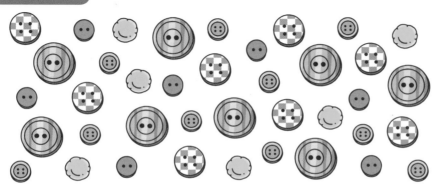

こたえ

321日目

２まいのもようをかさねると、どんなもようになるかな？　線をむすんでね。

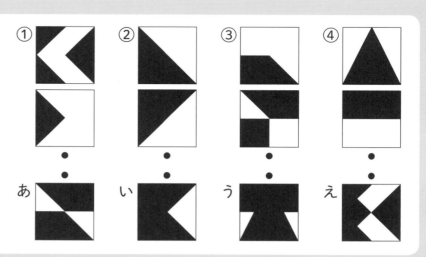

① ② ③ ④

あ　い　う　え

322 日目

同じ絵は、どれと
どれかな？

こたえ

と

323 日目

おりがみを図のようにおって、――で切るよ。広げた
ら、どうなっているかな？

① 　② 　③ 　④ 　⑤

こたえ

324 日目

「みほん」をくみた
てると、どのように
なるかな？

こたえ

みほん

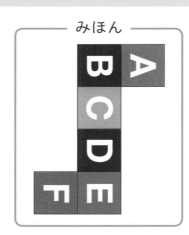

① 　②

③ 　④

⑤

109
ページの
解答

316日目
③

317日目

318日目　②

325日目
下の数字のなかで、3ばんめに大きい数字はどれかな？　4ばんめに小さい数字はどれかな？

15	25	22	49	83	21	11	82	56	44
91	46	29	10	78	61	25	81	13	69
87	26	80	65	42	19	72	93	88	64
70	29	34	46	38	18	84	43	36	77
58	27	63	28	41	89	71	14	23	51

こたえ

3ばんめに大きい数字

4ばんめに小さい数字

326日目
ひものりょうはしをひっぱったとき、むすび目ができるのは、どれかな？

こたえ

 ① 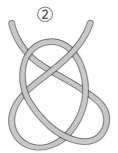 ②  ③  ④

327日目
マッチぼうを4本とって、正方形を3つにしてね。のこったマッチぼうはぜんぶつかってね。

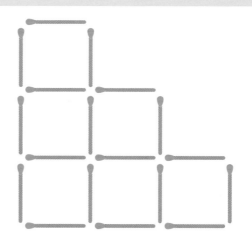

このページの解答は 115ページ

328日目

右の絵と左の絵には、ちがうところが5つあるよ。どこかな？　右の絵に○をつけてね。

329日目

おりがみを2回おって広げたとき、1つだけできないおれ線があるよ。どれかな？

こたえ

①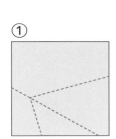

②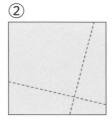

③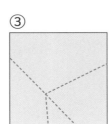

④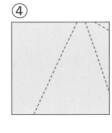

⑤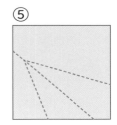

330日目

同じ絵は、どれとどれかな？

①

②

③

④

⑤

⑥

こたえ

と

111ページの解答

322日目 ①と⑤

323日目 ①
実際にやってみよう。

324日目 ④

113

331 日目 1つだけ、数がちがうのはどれかな？

こたえ

332 日目 「みほん」のようふくを、2つの グループにわけたよ。どれとどれかな？

こたえ
と

みほん

333 日目 「みほん」のかたちがかくれているのはどれかな？

みほん

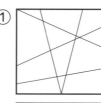
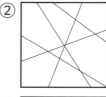
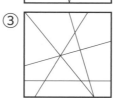
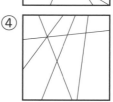

こたえ

112 ページの 解答

325日目
3ばんめに大きい数字 89
4ばんめに小さい数字 14

326日目
④

327日目
正方形は同じ大きさでなくてよい。

114

334日目

「みほん」をくみたてたとき、できないサイコロはどれかな？

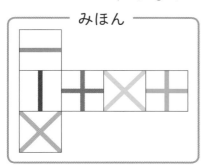

みほん

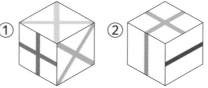

①
②

③

④

こたえ

335日目

となりあうぶぶんが、同じ色にならないようにぬりわけるには、色をいくつつかえばいいかな？

① 1つ
② 2つ
③ 3つ
④ 4つ
⑤ 5つ

こたえ

336日目

広さが同じなのは、どれとどれかな？

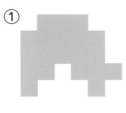
①
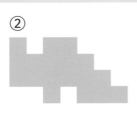
②
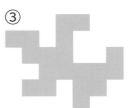
③

こたえ
と

④

⑤
⑥

113ページの解答

328日目

329日目 ③

330日目 ④と⑥
 ① ② ③ ⑤

このページの解答は 118ページ

337日目 パズルをかんせいさせたとき、あまるのはどれかな？

① ② ③ ④

⑤ ⑥ ⑦

こたえ

338日目 かんけいがふかいものを、線でむすんでね。

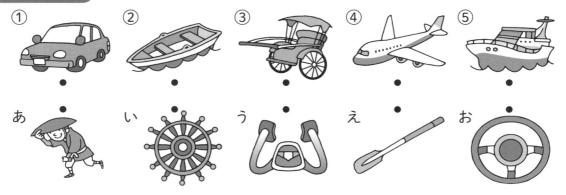

① ② ③ ④ ⑤

あ い う え お

339日目

100円玉を３まい
だけうごかして、
正三角形をつくれ
るかな？

114
ページの
解答

331日目
②

332日目
③と⑤

333日目

340 日目

同じ数のもの
を線でむすん
でね。

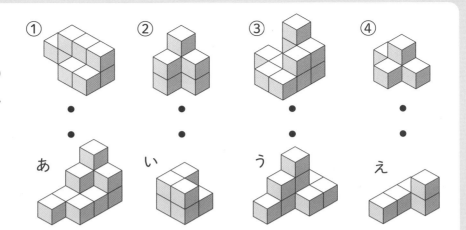

341 日目

おりがみを図のようにおって、——を切ったよ。広げ
たら、どうなっているかな？

こたえ

342 日目

じゅんばんにならべてね。

こたえ

③ →　　→　　→　　→

115
ページの
解答

334日目
②

335日目
①

336日目 ③と⑤
③ ⑤

343 日目

「みほん」の絵をかがみにうつすと、
どう見えるかな？

こたえ

みほん

① 　② 　③ 　④

344 日目

□ にあてはまるのは、どれかな？

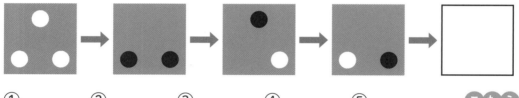

① 　② 　③ 　④ 　⑤

こたえ

345 日目

4しゅるいのどうぶつが1ぴきずつ入るように、同じかたち4つにわけられるかな？

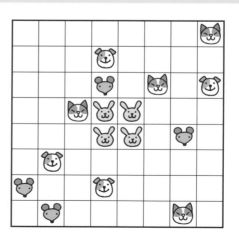

337日目
⑦ ④ ②
⑥
① ⑤ ③

338日目
①ーお
②ーえ　③ーあ
④ーう　⑤ーい

339日目

346日目

あいているところにぴったりあうのは、どれかな？

① ② ③ ④ ⑤

こたえ

347日目

右のようにならんでいる
おかねを、よこのれつが
同じしゅるいになるよう
にできるかな？　ただ
し、さわっていいのは1
まいだけだよ。

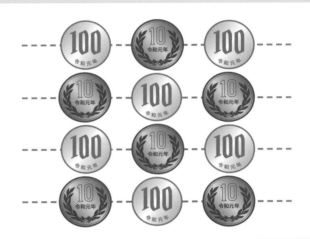

348日目

「みほん」を、やじるしのほうに3かい
たおすと、どうなっているかな？

こたえ

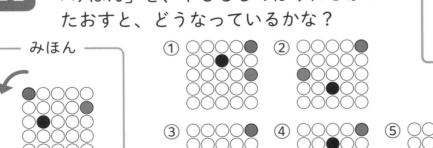

みほん

① ② ③ ④ ⑤

117
ページの
解答

340日目
①－う　②－い
③－あ　④－え

341日目
③
実際にやってみよう。

342日目
③→④→②
→①→⑤

119

このページの解答は 122ページ

349日目

1つだけ、ほかとかたちがちがうのはどれかな？

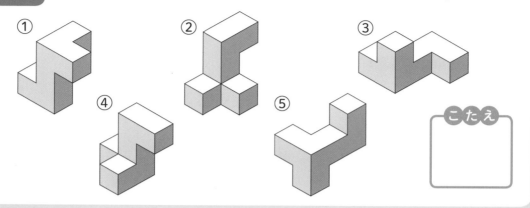

こたえ

350日目

マッチぼう8本をつかって、正方形を2つ、三角形を8つ、八角形を1つ、どうじにつくれるかな？

351日目

ひとふででかけないのは、どれかな？

こたえ

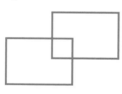
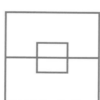
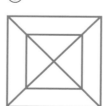
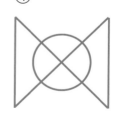

118ページの解答

343日目 ②

344日目
③
くわしくは127ページ参照

345日目

このページの解答は 123ページ

352 日目

同じかたち2つにわけられないのは、どれかな？
かたちはうらがえしてもいいよ。

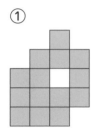 ① 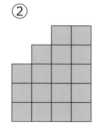 ② 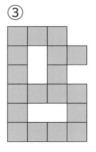 ③ 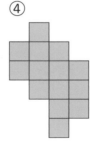 ④

こたえ

353 日目

どこから入れば、★までいけるかな？

※ゆびやえんぴつはつかわず、目だけですすんでね。

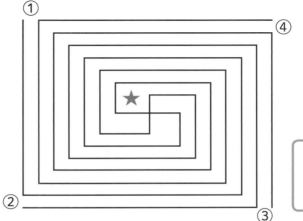

① ④
② ③

こたえ

354 日目

1つしかないものは、何しゅるいあるかな？

① 1しゅるい
② 2しゅるい
③ 3しゅるい
④ 4しゅるい
⑤ 5しゅるい

こたえ

119
ページの
解答

346日目 ⑤

① ② ③ ④

347日目

上にずらす。

348日目
④

355 日目

線は何本あるかな？
※しるしはつけないで、目だけで数えてね。

① 27本
② 28本
③ 29本
④ 30本
⑤ 31本

こたえ

356 日目

右の絵と左の絵で、ちがうところがあるのはどこかな？

こたえ

① ② ③

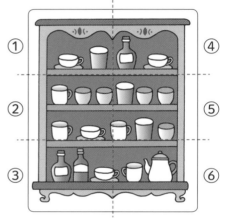

④ ⑤ ⑥

357 日目

いろんなもようのかさを、2本ずつあつめたよ。1本しかないのは、どれかな？ ○をつけてね。

349日目
①

350日目
三角形8つ
正方形2つ
八角形1つ

351日目 ③
① ② ④

このページの解答は 125ページ

358日目

図のようにサイコロを
ころがしたとき、下に
なった目の数を足す
と、いくつになるか
な？

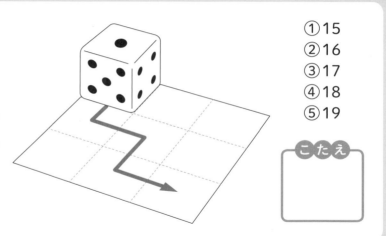

① 15
② 16
③ 17
④ 18
⑤ 19

こたえ

359日目

下のような25マスの四角のなかに、3マスのブロックを8つ入れるには、どうならべたらいいかな？

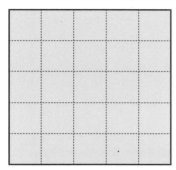
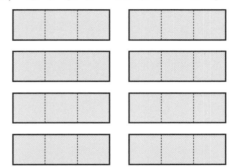

360日目

みんなで、台の上のおもちゃを見ているよ。どの子から、どんなふうに見えているかな？

あ

い

う

え

こたえ
① ー
② ー
③ ー
④ ー

121
ページの
解答

352日目 ②
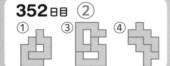

353日目
③

354日目 ③

361 日目

下のようなきまりでこうかんできるとすると、いちばん、かちがたかくなるのはどれかな？

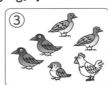

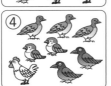

こたえ

362 日目

右の四角を、マッチぼう3本をつかって、同じかたち2つにわけられるかな？　ただし、マッチぼうが四角からはみだしてはいけないよ。

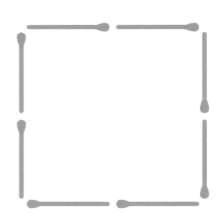

363 日目

同じくみあわせのものは、どれとどれかな？

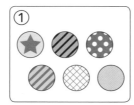

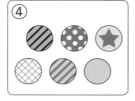

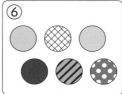

こたえ

と

122
ページの解答

355日目
②

356日目
⑥

357日目

364日目

下のようにおかねがあったら、200円をはらうほうほうは、何通りあるかな？

① 3通り
② 4通り
③ 5通り
④ 6通り
⑤ 7通り

こたえ

365日目

1つだけ、ほかとちがうのはどれかな？　○をつけてね。

太 太 太 太 太 太 太 太 太 太 太 太 太
太 太 太 太 太 太 太 太 太 太 太 太 太
太 太 太 太 太 太 太 太 太 太 太 太 太
太 太 太 太 犬 太 太 太 太 太 太 太 太
太 太 太 太 太 太 太 太 太 太 太 太 太
太 太 太 太 太 太 太 太 太 太 太 太 太

366日目

右の図のなかに、三角形はいくつあるかな？

① 15　② 20
③ 25　④ 30
⑤ 35　⑥ 40

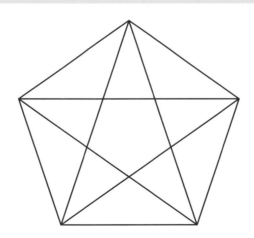

こたえ

123ページの解答

358日目
④

359日目

360日目
① ― う　② ― い
③ ― え　④ ― あ

66日目

● = 1、● = 2をあらわしており、左から1、2、3…となっている。□には5が入る。

78日目

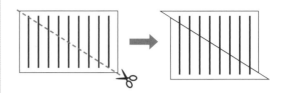

ななめにまっすぐ切って、ずらしてあわせると、1本減る。

79日目

サイコロの向かい合う面を足すと必ず7になるので、まんなかと右はしのサイコロの向かい合う面の合計は7 + 7 = 14。これに6の反対の面の1を足すと15になる。

90日目

かたつむりは時計回りに90度ずつ、トンボは180度ずつ移動している。かたつむりとトンボがかさなると、トンボは消える。

162日目

左がわとまんなかの目をかさねると右がわの目になり、一番上とまん中の目を重ねると一番下の目になる。ただし、☆と☆が重なると★になり、★と★が重なると☆になる。

173日目

左上から、星の数が1 → 2 → 3 → 1…とくり返していき、星の間に三日月、半月、満月がくり返し入っている。

191日目

わけ方の一例

203日目

サイコロの向かい合う面を足すと必ず7になるので、6つのうち、4つの面の合計は7 + 7 = 14。一番右は5の反対なので2、一番左は、右端のサイコロと反対向きになっているので、接している面は2。つまり14 + 2 + 2となり答えは18。

245日目

サイコロの向かい合う面を足すと必ず7になるので、6つのうち、4つの面の合計は 7 + 7 = 14。一番右は3の反対なので4、一番左は、右端のサイコロと反対向きになっているので、接している面は4。つまり 14 + 4 + 4 となり答えは 22。

253日目

たても、よこも、ななめも、ほかの2つの目の数を足すと、いちばん大きな目の数になる。

262日目

あ～えのことばを反対にする。

① 貝（かい）　② かた　③ 砂（すな）　④ 坂（さか）

あ なす　い いか　う たか　え かさ

277日目

顔は□→○、目は⊙→⊗→⌒→⊡の順に右から左に移動し、口は◡→⌒の順になっている。

290日目

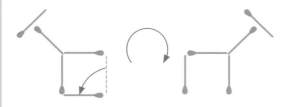

マッチぼうをうごかしたら、紙を時計回りに90度回転させる。

296日目

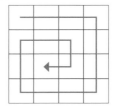

♥♦♣♠♠♣♦♥の順に輪を描いている。

344日目

上は○→消える→●→消える、左下は○→●→消える、右下は○→●→○→●をくり返している。

364日目

100円玉2枚／100円玉1枚、50円玉2枚／100円玉1枚、50円玉1枚、10円玉5枚／100円玉1枚、10円玉10枚／50円玉3枚、10円玉5枚／50円玉2枚、10円玉10枚の6通り。

366日目

1つの三角形
（10こ）

2つでできる
三角形（10こ）

外側の
3つでできる
三角形（5こ）

内側の
3つでできる
三角形（5こ）

5つでできる
三角形（5こ）

計35こ

〈監修者紹介〉

児玉光雄 (こだま・みつお)

追手門学院大学特別顧問。元鹿屋体育大学教授。京都大学工学部卒業。専門は臨床スポーツ心理学、体育方法学。日本体育学会会員。日本スポーツ心理学会会員。プロアスリートの右脳開発トレーニングにより右脳開発プログラムの第一人者に。

主な著書に『イチロー思考 孤高を貫き、成功をつかむ77の工夫』『楽しく鍛える！IQが高まる右脳ドリル』（以上、東邦出版）、『どんな時でも結果が出せる！ イチロー式 集中力』（PHP研究所）、『ボケない人になるドリル【漢字と熟語篇】』（河出書房新社）など多数。

装幀　村田隆（bluestone）
装画　わたなべふみ
本文イラスト　よしのぶもとこ
編集協力　株式会社ワード
本文デザイン・組版　朝日メディアインターナショナル株式会社

1日1分で子どもの集中力が育つ右脳ドリル366

2020年1月8日　第1版第1刷発行
2021年2月23日　第1版第7刷発行

監修者　児玉光雄
発行者　櫛原吉男
発行所　株式会社PHP研究所
　　　　京都本部　〒601-8411　京都市南区西九条北ノ内町11
　　　　〔内容のお問い合わせは〕教育出版部 ☎075-681-8732
　　　　〔購入のお問い合わせは〕普及グループ ☎075-681-8554
印刷所　図書印刷株式会社

©Mitsuo Kodama 2020 Printed in Japan　　　　ISBN978-4-569-84607-1
※本書の無断複製（コピー・スキャン・デジタル化等）は著作権法で認められた場合を除き、禁じられています。また、本書を代行業者等に依頼してスキャンやデジタル化することは、いかなる場合でも認められておりません。
※落丁・乱丁本の場合は、送料弊社負担にてお取り替えいたします。